지상시사화전 紙上詩寫畫展

동천冬天

서정주

내 마음속 우리 님의 고운 눈썹을
즈믄 밤의 꿈으로 맑게 씻어서
하늘에다 옮기어 심어 놨더니
동지섯달 나는 매서운 새가
그걸 알고 시늉하며 비끼어 가네.

┃도움 주신 분 : 이중희 서양화가 / 박방영 화가 / 홍덕기 사진 작가

I

샘물이 혼자서

주요한

샘물이 혼자서
춤추며 간다.
산골짜기 돌 틈으로

샘물이 혼자서
웃으며 간다.
험한 산길 꽃 사이로

하늘은 맑은데
즐거운 그 소리
산과 들에 울리운다.

청포도

이육사

내 고장 칠월은
청포도가 익어가는 계절

이 마을 전설이 주저리주저리 열리고
먼 데 하늘이 꿈꾸며 알알이 들어와 박혀

하늘 밑 푸른 바다가 가슴을 열고
흰 돛단배가 곱게 밀려서 오면

내가 바라는 손님은 고달픈 몸으로
청포(靑袍)를 입고 찾아온다고 했으니.

내 그를 맞아, 이 포도를 따 먹으면
두 손은 함뿍 적셔도 좋으련.
아이야, 우리 식탁엔 은쟁반에
하이얀 모시 수건을 마련해 두렴.

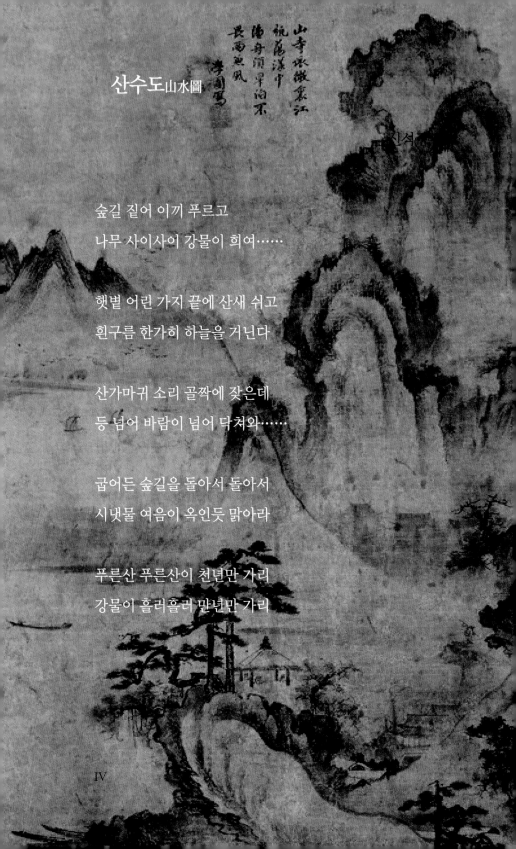

산수도 山水圖

山寺晩微嵐泛江
統爲漢中
陽身前早泊不
長雨起風
学園鶴

숲길 짙어 이끼 푸르고
나무 사이사이 강물이 희여⋯⋯

햇볕 어린 가지 끝에 산새 쉬고
흰구름 한가히 하늘을 거닌다

산가귀 소리 골짝에 잦은데
등 넘어 바람이 넘어 닥쳐와⋯⋯

굽어든 숲길을 돌아서 돌아서
시냇물 여음이 옥인듯 맑아라

푸른산 푸른산이 천년만 가리
강물이 흘러흘러 만년만 가리

IV

내 마음은

김동명

내 마음은 호수요, / 그대 저어 오오.
나는 그대의 흰 그림자를 안고
옥같이 그대의 뱃전에 부서지리다.

내 마음은 촉(燭)불이요, / 그대 저 문을 닫아주오.
나는 그대의 비단 옷자락에 떨며,
고요히
최후의 한 방울도 남김없이 타오리다.

내 마음은 나그네요, / 그대 피리를 불어주오.
나는 달 아래 귀를 기울이며,
호젓이 / 나의 밤을 새이오리다.

내 마음은 낙엽이요,
잠깐 그대의 뜰에 머무르게 하오.

이제 바람이 일면 나는
또 나그네 같이, 외로이
그대를 떠나오리다.

진달래꽃

나 보기가 역겨워

가실 때에는

말없이 고이 보내드리우리다.

영변(寧邊)에 약산(藥山)

진달래꽃

아름 따다 가실 길에 뿌리우리다.

가시는 걸음걸음

놓인 그 꽃을

사뿐히 즈려밟고 가시옵소서.

나보기가 역겨워

가실 때에는

죽어도 아니 눈물 흘리우리다.

돌담에 소색이는 햇발

김영랑

돌담에 소색이는 햇발같이
풀 아래 웃음 짓는 샘물같이
내 마음 고요히 고흔 봄 길위에
오늘 하루 하늘을 우러르고 싶다.

새악시 볼에 떠오는 부끄럼같이
시의 가슴 살프시 젖는 물결같이
보드레한 에메랄드 얕게 흐르는
실비단 하늘을 바라보고 싶다

바다 2

정지용

바다는 뿔뿔이
달아나려고 했다.

푸른 도마뱀 떼같이
재재발렀다.

꼬리가 이루
잡히지 않았다.

흰 발톱이 찢긴
산호(珊瑚)보다 붉고 슬픈 생채기!

가까스로 몰아다 부치고
변죽을 들러 손질하여 물기를 시쳤다.
이 애쓴 해도(海圖)에
손을 씻고 떼었다.

찰찰 넘치도록
돌돌 구르도록

휘동그란히 받쳐들었다.
지구(地球)는 연잎인 양
오므라들고…… 펴고……

마음

김광섭

나의 마음은 고요한 물결
바람이 불어도 흔들리고
구름이 지나도 그림자 지는 곳

돌을 던지는 사람
고기를 낚는 사람
노래를 부르는 사람

이 물가 외로운 밤이면
별은 고요히 물 위에 내리고
숲은 말없이 잠드나니

행(幸)여 백조(白鳥)가 오는 날
이 물가 어지러울까
나는 밤마다 꿈을 덮노라.

바다와 나비

김기림

아무도 그에게 수심(水深)을 일러준 일이 없기에
흰나비는 도무지 바다가 무섭지 않다.

청(靑)무우 밭인가 해서 내려갔다가는
어린 날개가 물결에 절어서
공주(公主)처럼 지쳐서 돌아온다.

삼월(三月)달 바다가 꽃이 피지 않아서 서글픈
나비 허리에 새파란 초승달이 시리다.

X

설야雪夜

김광균

어느 머언 곳의 그리운 소식이기에
이 한밤 소리 없이 흩날리느뇨.

처마 끝에 호롱불 여위어가며
서글픈 옛 자취인양 흰 눈이 내려

하이얀 입김 절로 가슴이 메어
마음 허공에 등불을 켜고
내 홀로 밤 깊어 뜰에 내리면

머언 곳에 여인의 옷 벗는 소리.

희미한 눈발
이는 어느 잃어진 추억의 조각이기에
싸늘한 추회(追悔) 이리 가쁘게 설레이느뇨.

한 줄기 빛도 향기도 없이
호올로 차단한 의상(衣裳)을 하고
흰 눈은 내려 내려서 쌓여
내 슬픔 그 위에 고이 서리다.

승무(僧舞)

조지훈

얇은 사(紗) 하이얀 고깔은 / 고이 접어서 나빌레라.

파르라니 깎은 머리 / 박사(薄紗) 고깔에 감추오고,

두 볼에 흐르는 빛이 / 정작으로 고와서 서러워라.

빈 대(臺)에 황촉(黃燭)불이 말없이 녹는 밤에
오동잎 잎새마다 달이 지는데,

소매는 길어서 하늘은 넓고
돌아설 듯 날아가며 사뿐히 접어 올린 외씨보선이여!
까만 눈동자 살포시 들어
먼 하늘 한 개 별빛에 두오고
복사꽃 고운 뺨에 아롱질 듯 두 방울이야
세사(世事)에 시달려도 번뇌(煩惱)는 별빛이라.

휘어져 감기우고 다시 접어 뻗는 손이
깊은 마음속 거룩한 합장(合掌)인 양하고,

이 밤사 귀뚜리도 다시 우는 삼경(三更)인데,
얇은 사(紗) 하이얀 고깔은 고이 접어서 나빌레라.

나그네

박목월

강江나루 건너서
밀밭 길을

구름에 달 가듯이
가는 나그네

길은 외줄기
남도(南道) 삼백리

술 익는 마을마다
타는 저녁놀

구름에 달 가듯이
가는 나그네.

강강술래

여울에 몰린 은어 떼.

삐비꽃 손들이 둘레를 짜면
달무리가 비잉빙 돈다.

가아응 가아응 수우워얼래애
목을 빼면 설움이 솟고……

백장미 밭에 / 공작이 취했다.

뛰자 뛰자 뛰어나 보자 / 강강술래.

뇌누리에 테이프가 감긴다.
열 두 발 상모가 마구 돈다.

달빛이 배이면 술보다 독한 것

기폭이 찢어진다. / 갈대가 쓰러진다.

강강술래
강강술래

해바라기의 비명碑銘

함형수

나의 무덤 앞에는 그 차가운 비(碑)ㅅ돌을 세우지 말라.

나의 무덤 주위에는 그 노란 해바라기를 심어 달라.

그리고 해바라기의 긴 줄거리 사이로 끝없는 보리밭을 보여
달라.

노란 해바라기는 늘 태양같이 태양같이 하던 화려한 나의 사
랑이라고 생각하라.

푸른 보리밭 사이로 하늘을 쏘는 노고지리가 있거든 아직도
날아오르는 나의 꿈이라고 생각하라.

그리움

유치환

파도야 어쩌란 말이냐
파도야 어쩌란 말이냐
임은 뭍같이 까딱 않는데
파도야 어쩌란 말이냐
날 어쩌란 말이냐.

전통과 현대를 잇는

영원한 한국의 명시

시다운 시, 시인다운 시인

엮은이 황송문

문학사계

명시선집을 내면서

시다운 시, 시인다운 시인

마음이 맑으면 말이 맑고, 마음이 흐리면 말도 흐리다. 말이 거칠게 나오는 까닭은 마음이 거칠기 때문이다. 국민의 대표라는 국회의원들이야 말할 나위도 없거니와 대한민국 국민은 어찌하여 갈수록 언행이 거칠어지는가. 여러 요인이 있겠지만 본연의 마음자리에 있지 않기 때문이리라.

여기에는 마지막 보루인 종교와 교육, 언론의 책임이 크다. 소금이 짠맛을 잃으면 소금이 아니듯이, 시가 아름답지 않고 천박하면 시라고 할 수 없다. 투르게네프는 "시란 신(神)의 말이다."라 했고, 볼테르는 "시는 영혼의 음악이다."라고 했으며, 릴케는 "시란 예술 속의 여왕이다."라고 말했다.

그런데 오늘날엔 어떠한가, 서사시는 소설이 차지했고, 서정시는 산문시라는 이름으로 운율을 말살했다. 실험시는 자기들끼리 독자를 무시했고, 독자는 그런 낙서 같은 푸념이나 잔소리의 나열을 외면했다.

스티븐스는 "시인은 번데기로 비단옷을 만든다."고 극찬했지만, 옛날 이야기다. 윤오영은 「양잠설(養蠶說)」이란 수필로 '문장론'을 썼지만, 시인들은 '삼다(三多)'도 지키지 않은 채 돈과 유희에 빠져 병든 누에처럼 아름다운 비단실 같은 시어

(詩語)를 뽑아내지 못하고 있다. 책을 읽지 않은 국민과 배우기를 즐기지 않는 시인에게서 무엇을 기대할 수 있겠는가.

괴테는 "시인들은 잉크에 물을 많이 탄다."고 갈파했다. 지금 대한민국 문단은 술에 물을 너무 많이 타서 자정 능력을 상실한 상태다. 왜 자꾸 물을 타는가. 돈이 되기 때문이다. 술에 물 탄 듯이 하면 작품 수준은 떨어진다. 괴테는 잉크에 물을 탄다고 썼지만, 한국의 문단은 이미 물을 부은 탁주나 맥주에 또다시 물을 부은 꼴이다. 술도 아니고 물도 아닌 이런 풍토에서 무엇을 기대할 수 있겠는가.

시(詩)라는 말 자체가 말씀 언(言)변에 절 사(寺) 한 글자다. 절에서 하는 말씀, 즉 종교적 차원의 언어라는 뜻이다. 그러므로 다른 장르와는 달리, 시에서는 욕설 등 천박한 말은 통용되지 않는다. 그래서 시는 삶의 질을 높인다.

속도전 시대에 시간은 돈이라는 말로 전도(顚倒) 현상이 나타나고 있다. 돈에 눈이 어두운 일부 정치인이나 법조인, 종교인, 심지어 공무원에 이르기까지 돈의 신을 숭배하는 함정에 빠져있다. 이런 전도 현상은 욕심에서 비롯된다.

타고르나 릴케 같은 시인은 시와 기도를 통해서 감사함을 표현했다. 시는 돈이 되지 않지만, 그게 없으면 세상이 어떻게 되겠는가. 꽃이 없는 세상이나 공기, 햇빛 없는 세상을 생각할 수 없듯이 시가 없는 세상을 생각할 수 없다. 아름다운 시를 외우면서 사는 사람이 강간이나 토막살인을 할 수 있겠는가.

요즘 시인들은 시를 쉽게 쓰는 것 같다. 깊이 생각하지 않는 것은 철학의 빈곤에 연유한다. 말하듯이, 말 나오는 대로 설명조로 써놓고 시라고 하는가 하면, 무슨 말을 하는지, 도무지 모르는 소리로 나열하면서도 시인으로 행세하는 사람이 적지 않다. 이런 현상이 왜 벌어지는가. 정직성의 결여도 문제지만, 정치인의 표퓰리즘도 문제다. 대한민국 국민은 책을 읽지 않는다. 책을 멀리하면서 생각의 길을 잃었다. 자기의 정체성이 없으니 남의 생각으로 편하게 살기를 바란다. 이는 노예근성이다.

시가 시답지 않아서 독자가 외면하게 된 까닭도 크게 작용한 것으로 여겨진다. 오염된 페놀 강물을 약수라고 우기는 셈이다. 폐사에서는 이런 문학 인플레를 청산하고 약수 같은 작품으로 정서의 갈증을 해소하는 길을 찾아 나섰다. 그래서 책의 제호도 전통과 현대를 잇는『영원한 한국의 명시』로 정했다.

잠수함에서 산소가 줄어들면 토끼가 먼저 숨 가빠하듯이, 사회가 병들면 시인이 먼저 숨이 막힌다. 그런 토끼 같은 시인이 없다면 세상이 어떻게 되겠는가. 그래서 시다운 시를 찾고, 시인다운 시인을 찾아 나서기로 했다. 과연 이 나라에 "시다운 시, 시인다운 시인"이 얼마나 있을까? "시다운 시"는 어떤 작품이고, "시인다운 시인"은 어떤 사람인지 알아보기로 했다.

산에서 길을 잃으면 원위치로 내려가 살펴서 확인해야 하듯이, 우리는 지금 무엇이 잘 못 되었는지 돌아보아야 한다. 대한민국 국민은 왜 책을 읽지 않는지, 국회의원들은 왜 당파 싸움만 하는지, 교육자(스승)가 어찌하여 스스로 노동자라고 자처하는지, 소도 독초는 먹지 않는데, 학생들은 독초 같은 글이 섞여 있는 교과서로 배우고 있는지, 왜 지금까지도 바로잡지 않고 방관하는지 확인해서 바로잡아야 한다

단적으로 이 책은 독초도 없고 농약도 포함되지 않은 무공해 자연산 식품이라든지, 불순물이 섞여 있지 않은 약수로 비유할 수 있을 것이다. 특히 왕대(죽순)로 솟아야 할 고등학생들을 지도하는 국어(문학) 선생님들께서는 이 책을 참고하여 주기 바란다. 그동안 묻혀 있던 명시(名詩)를 상당수 발굴하여 게재했기 때문이다.

이 책에 수록한 시 작품의 선정기준은 "시다운 시, 시인다운 시인"이다. 시인다운 시인이 아니고는 시다운 시가 탄생할 수 없기 때문이다.

단기 4357년(서기 2024년) 6월 10일

황송문(黃松文)

▋시문학의 본령

a 자연에서 신성神性을 느낀다

샘물이 혼자서 - 주요한 ·········· 22

산 너머 남촌에는 - 김동환 ·········· 24

청포도 - 이육사 ·········· 27

산방山房 - 조지훈 ·········· 29

산수도山水圖 - 신석정 ·········· 31

마음 - 김광섭 ·········· 33

눈 오는 밤에 - 김용호 ·········· 35

봄은 고양이로다 - 이장희 ·········· 37

b 사랑으로 생명의 꽃을 피운다

진달래꽃 - 김소월 ·········· 40

내 마음은 - 김동명 ·········· 42

남으로 창을 내겠소 - 김상용 ·········· 44

돌담에 소색이는 햇발 - 김영랑 ·········· 46

모란이 피기까지는 - 김영랑　　　　　··········· 48

여승女僧 - 백석　　　　　　　　··········· 50

정주성定州城 - 백석　　　　　　··········· 52

또 다른 고향 - 윤동주　　　　　··········· 54

별 헤는 밤 - 윤동주　　　　　　··········· 56

바위 - 유치환　　　　　　　　··········· 59

깃발 - 유치환　　　　　　　　··········· 61

동천冬天 - 서정주　　　　　　　··········· 63

국화 옆에서 - 서정주　　　　　··········· 65

c 사색에서 지혜를 얻는다

향수鄕愁 -/ 정지용　　　　　　··········· 69

바다 2 - 정지용　　　　　　　··········· 72

마음 - 김광섭　　　　　　　　··········· 74

바다와 나비 - 김기림　　　　　··········· 76

길 - 김기림　　　　　　　　　··········· 78

설야雪夜 - 김광균　　　　　　　··········· 80

추일서정秋日抒情 - 김광균　　　··········· 83

승무僧舞 - 조지훈　　　　　　　··········· 85

완화삼玩花衫 - 조지훈　　　　　··········· 88

청노루 - 박목월　　　　　　　··········· 90

나그네 - 박목월 ·········· 92

청산도青山道 - 박두진 ·········· 94

강강술래 - 이동주 ·········· 96

두만강 - 김규동 ·········· 98

물 끓는 소리 - 신동춘 ·········· 100

시詩를 말하는 염소 - 엄한정 ·········· 102

새우와의 만남 - 문정희 ·········· 104

d 정의감으로 큰 기운을 기른다

님의 침묵 - 한용운 ·········· 106

복종服從 - 한용운 ·········· 108

논개論介 - 변영로 ·········· 110

빼앗긴 들에도 봄은 오는가 - 이상화 ·········· 113

광야曠野 - 이육사 ·········· 116

오랑캐꽃 - 이용악 ·········· 119

두메산골 3 - 이용악 ·········· 121

서시序詩 - 윤동주 ·········· 123

자화상自畫像 - 윤동주 ·········· 125

자화상自畫像 - 서정주 ·········· 127

그날이 오면 - 심훈 ·········· 129

가배절嘉俳節 - 심훈 ·········· 131

해바라기의 비명碑銘 - 함형수 ············ 133

할머니 꽃씨를 받으신다 - 박남수 ············ 135

북에서 온 어머님 편지 - 김규동 ············ 137

풀리는 한강 가에서 - 서정주 ············ 139

기도 - 구상 ············ 142

9월의 편지 - 황금찬 ············ 145

참깨를 털면서 - 김준태 ············ 148

e 순수와 참여의 조화적 경지
- 신석정의 춘궁여담 -

산중문답山中問答 4 - 신석정 ············ 151

이야기 - 신석정 ············ 154

까치밥 - 황송문 ············ 157

옥밥 - 오봉옥 ············ 159

내가 만난 인민군 - 이신강 ············ 161

▌순수시와 참여시

a 심상心象의 표현

여운餘韻 - 조지훈 ·········· 166

가늘한 내음 - 김영랑 ·········· 167

그리움 - 유치환 ·········· 169

성북동 비둘기 - 김광섭 ·········· 171

가을의 기도 - 김현승 ·········· 173

눈물 - 김현승 ·········· 175

말씀의 실상實相 - 구상 ·········· 177

산상山上에서 - 이원섭 ·········· 179

어느 지역地域 - 장영창 ·········· 181

검은 평화 - 장영창 ·········· 183

수월관음도水月觀音圖 - 정진규 ·········· 185

숲으로 가리 - 최은하 ·········· 187

날개옷 - 유안진 ·········· 190

사리舍利 - 유안진 ·········· 192

눈물 - 최문자 ·········· 194

고장난 시계 - 권운지 ·········· 196

목재소에서 - 박미란 ·········· 198

난쟁이행성 134340에 대한 보고서 - 도미솔 ·········· 201

감잎 엽서 - 임미옥 ·········· 204

b 생활이 모자라는 까닭

가정家庭 - 이상 ·········· 206

가정家庭 - 박목월 ·········· 208

이사 - 원동우 ·········· 211

콩나물을 다듬으면서 - 이향아 ·········· 214

여인 - 조기호 ·········· 216

신발論 - 마경덕 ·········· 218

저녁을 지으며 - 김원명 ·········· 220

c 동심童心과 시심詩心

엄마야 누나야 - 김소월 ·········· 224

나의 시詩 - 서정주 ·········· 225

외할머니의 뒤안 툇마루 - 서정주 ·········· 227

하늘 - 정중수 ·········· 229

저녁연기를 보면 - 김종원 ·········· 231

d 농심農心과 시심詩心

풀베기 – 이병훈 ············ 234

논갈이 2 – 이병훈 ············ 236

벼 – 이성부 ············ 238

풋마늘 – 조기호 ············ 240

고향故鄕 – 장영창 ············ 243

e 동경憧憬의 세계

파초芭蕉 – 김동명 ············ 246

그 먼 나라를 아르십니까 – 신석정 ············ 248

망향 – 노천명 ············ 251

사슴 – 노천명 ············ 253

이름 없는 여인이 되어 – 노천명 ············ 254

샤갈의 마을에 내리는 눈 – 김춘수 ············ 256

꽃 – 김춘수 ············ 258

풀잎 – 문덕수 ············ 260

세월이 가면 – 박인환 ············ 262

과수원과 꿈과 바다 이야기 – 전봉건 ············ 264

사랑의 말 – 김남조 ············ 267

눈의 나라 – 김후란 ············ 269

지리산 시詩 - 문효치 ··········· 271

첫눈 이미지 - 박명자 ··········· 273

f 치열한 갈림길

초혼招魂 - 김소월 ··········· 276

산山 - 김소월 ··········· 278

산유화山有花 - 김소월 ··········· 280

호남평야 - 장영창 ··········· 282

만경강의 노랫소리 - 장영창 ··········· 285

초토焦土의 시 - 구상 ··········· 288

보리피리 - 한하운 ··········· 291

삶 - 한하운 ··········· 293

나 - 한하운 ··········· 295

촛불 연가 1 - 한승원 ··········· 297

촛불 연가 2 - 한승원 ··········· 299

사는 법 2 - 홍윤숙 ··········· 301

석탄 - 정공채 ··········· 303

고백성사 - 김여정 ··········· 306

무관심의 죄 - 김후란 ··········· 309

분해와 결합 43613 - 김인섭 ··········· 313

3번아 5번 찾지 말고 - 김원명 ··········· 315

깊은 해변 - 최문자   ·········· 318

<h2>g 관조觀照와 사색의 시</h2>

귀천歸天 - 천상병   ·········· 321

달을 먹은 소 - 이성선   ·········· 323

지리산 - 권천학   ·········· 325

버들강아지 - 김인섭   ·········· 327

청보리밭에 오는 봄 - 손해일   ·········· 329

시인詩人 - 이정록   ·········· 331

손을 흔드는 것은 - 이창년   ·········· 333

봄 - 엄한정   ·········· 335

일기日記 - 허세욱   ·········· 337

바람 그 뒷모습이 - 허세욱   ·········· 339

호도 두 알 - 허세욱   ·········· 341

<h2>h 운치韻致와 응축凝縮의 묘미妙味</h2>

박넝쿨 타령 - 김소월   ·········· 344

끝없는 강물이 흐르네 - 김영랑   ·········· 346

오매 단풍들것네 - 김영랑   ·········· 348

춘설春雪 - 정지용   ·········· 350

조각달 타령 - 김동리 ·········· 353

문둥이 - 서정주 ·········· 355

샘도랑집 바우 - 황송문 ·········· 356

돌 - 황송문 ·········· 360

풍경風磬 소리 - 김동수 ·········· 362

i 영화평론가에서 농부의 시까지

봉개동 - 김종원 ·········· 364

강냉이 사설辭說 - 김종원 ·········· 367

작업복 - 성권영 ·········· 370

가을 - 성권영 ·········· 372

모래톱에서 - 성종화 ·········· 374

그런 시를 쓸 수 있을까 - 성종화 ·········· 376

겨울 진달래 - 정귀영 ·········· 378

정情 - 김남석 ·········· 380

시인 연대표年代表 - 김창직 ·········· 382

남산 성벽 - 황동기 ·········· 384

어느 날 문득 - 황동기 ·········· 386

겨울잠 - 송태호 ·········· 388

마른장마 물안개 - 송태호 ·········· 390

초록의 번영 - 이병훈 ·········· 392

j 삼상三上의 시중 이상二上의 시

귀촉도歸蜀途 - 서정주 ·········· 398

낙화落花 - 조지훈 ·········· 400

고사古寺 - 조지훈 ·········· 402

대바람 소리 - 신석정 ·········· 403

은수저 - 김광균 ·········· 405

행복幸福 - 유치환 ·········· 406

저녁놀 - 유치환 ·········· 408

수로부인水路夫人의 얼굴 - 서정주 ·········· 409

이별가離別歌 - 박목월 ·········· 410

눈물 - 김현승 ·········· 412

밤바다에서 - 박재삼 ·········· 413

하루만의 위안 - 조병화 ·········· 414

성탄제聖誕祭 - 김종길 ·········· 416

피아노 - 전봉건 ·········· 418

자수刺繡 - 허영자 ·········· 419

살아있는 날은 - 이해인 ·········· 421

엄마 걱정 - 기형도 ·········· 423

빈집 - 기형도 ·········· 424

k 창조적 상상의 자연과 고향

봄이 슬픈 나무들 - 김인섭 ············ 426

광대 - 김년균 ············ 428

향수 - 서정남 ············ 430

영광 굴비의 영광 - 손해일 ············ 432

할머니 - 오봉옥 ············ 434

키 큰 남자를 보면 - 문정희 ············ 436

잔蓋 - 임미옥 ············ 438

내 고향은 저승 - 이설주 ············ 440

버들강아지 - 김인섭 ············ 442

내가 쓰러지거든 - 장호강 ············ 444

목계장터 - 신경림 ············ 447

하지감자 - 황송문 ············ 449

찾아보기 ············ 457

I

시문학의 본령

시란 무엇인가? 과거에는 시가(詩歌)라 하였다. 고대 한민족은 제천의식(祭天儀式)과 가무(歌舞)를 통해서 시가문학을 꽃피워왔다. 경천사상(敬天思想)을 통해서 문화 창조의 싹을 틔워왔다. 우리 문화가 원시공동체 사회의 제의(祭儀)에서 비롯되었다는 것은 종교적 의미를 담고 있음을 의미한다. 이처럼 종적(縱的)으로 내려온 전통문화를 횡적(橫的)으로 전개하는 세계화에 계승 발전시켜야 하는데 문예 면에서는 정신적 단절이라는 문제를 안고 있다. 이 문제는 이 책에서 기회 있을 때마다 피력하고자 한다.

영국의 시인 워즈워스는 시란 "강한 감정이 자연스럽게 흘러나오는 것"이라 했고, 미국의 시인 알란 포우는 "아름다움의 음악적인 창조"라 했다. 워즈워스는 "자연스러움"을 말했고, 알란 포우는 "아름다움"을 말했다. 여기엔 "강한 감정"과 "율동적인 창조"라는 말도 있다.

말은 쉬워도, "아름다움"이나 "자연스러운" 표현이 쉬운 게 아니다. 강한 감정이란 불같이 타오르는 마음인데, 이런 격한 감정을 잠재우고 아름답고 자연스럽게 표현하기란 쉬운 일이 아니다.

a 　자연에서 신성神性을 느낀다

　우리나라는 예부터 자연을 관조하는 시가 많았다. 삼천리 금수강산이라 하여 아름다운 곳, 경치 좋은 곳에서 남자는 신선으로, 여자는 선녀로 살고 싶어 했다. 그래서 신선사상이 싹텄다. 신선도(神仙道)를 닦아서 자연과 벗하며 늙지 않고 오래 살겠다는 사상으로 신선도(神仙圖)도 그리고 시도 읊었다.

　단테는 "자연은 신(神)의 예술이다."라 했고, 롱펠로는 "자연은 신의 묵시(默示)요 예술은 인간의 묵시다."라고 했다. "자연은 신이 쓴 위대한 책이다(하베이)."라거나, "신이 창조한 것들은 모두 선하다(루소)."는 말은 모두 신과 자연과의 상관성을 말하고 있다. 신이 자연을 창조했으므로 자연에는 신성(神性)이 내재해서 아름답고 편하다.

　그래서 시인들은 자연을 제재로 시를 써왔다. 아름다운 시를 쓰기 위해서다. 여기에서 간과할 수 없는 것은, 아무리 아름다운 자연을 보아도 그 보는 사람의 마음이 아름답지 않으면 그 아름다움을 느끼지 못한다는 점이다. 이는 마치 아무리 아름다운 경치가 눈앞에 펼쳐있어도 카메라에 흑백필름이 들어있으면 컬러 풍경은 찍히지 않는 이치라 하겠다.

샘물이 혼자서

주요한

샘물이 혼자서
춤추며 간다.
산골짜기 돌 틈으로

샘물이 혼자서
웃으며 간다.
험한 산길 꽃 사이로

하늘은 맑은데
즐거운 그 소리
산과 들에 울리운다.

　이 시(샘물이 혼자서)는 주요한(朱耀翰, 1900~1979) 시인의 대표
작이다. 이 시는 1919년 1월, 일본 교토(京都) 유학생 기관지인『학우』
에 발표된 작품이다. 샘물이 혼자서 가는 데도 춤추며 간다고 했다.
마음이 샘물처럼 맑아서 거리낌이 없고 즐거움을 누린다. 심지어
산골짜기 돌 틈으로까지도 간다. 맑은 샘물은 혼자서도 가지 못할
곳이 없다.

　유가(儒家)에 호연지기(浩然之氣)라는 말이 있다. 넓고 큰 기운이라
는 뜻이다. 공명정대하여 조금의 부끄러움도 없고, 탁 트인 도덕적
윤리의식을 가리킨다. 제자 공손추(公孫醜)의 질문에 맹자가 답한
말이다. 험한 산길 꽃 사이로 물이 혼자서 웃으며 간다고 했는데,
여기에는 깊은 뜻이 은폐되어있다. 가는 길에는 험한 산길만 있는
게 아니라 꽃도 있다. 이 꽃은 단순한 식물만을 뜻하는 게 아니다.
밝음과 희망이 상징적으로 드리워져 있다. 마지막 종결(終結)은 자
유로운 자쾌(自快)다. 대장부에게는 거리낄 게 없기 때문이다.

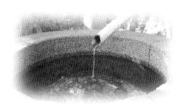

산 너머 남촌에는

김동환

1

산 너머 남촌에는 누가 살길래
해마다 봄바람이 남(南)으로 오네.

꽃 피는 사월이면 진달래 향기
밀 익는 오월이면 보리 내음새

어느 것 한 가진들 실어 안 오리
남촌서 남풍 불 제 나는 좋데나.

2

산 너머 남촌에는 누가 살길래
저 하늘 저 빛깔이 저리 고울까.

금잔디 너른 벌엔 호랑나비 떼
버들밭 실개천엔 종달새 노래

어느 것 한 가진들 실어 안 오리
남촌서 남풍 불 제 나는 좋데나.

3
산 너머 남촌에는 배나무 있고
배나무 꽃 아래엔 누가 섰다기

그리운 생각에 재에 오르니
구름에 가리어 아니 보이네.

끊었다 이어오는 가는 노래는
바람을 타고서 고이 들리네.

─────── 시작노트

　김동환(金東煥) 시인의 이 시에서는 "산 너머 남촌"이라는 미지의
세계이기는 해도 아련한 그리움이 깃들어있는 원망공간(願望空間)
이 자리하고 있다. 그가 그리워하는 이상향은 봄바람, 진달래 향기,
보리 내음새, 호랑나비 떼, 종달새 노래가 깃드는 사랑과 생명, 평
화의 공간이다.

그가 그리는 공간은 미지의 세계로 향하는 공간이다. 그런데, 진달래 향기나 보리 내음새, 호랑나비 떼, 종달새 노래가 우리 한반도에 없는 게 아니다. 농촌에서는 얼마든지 볼 수 있는 현실적 사물이지만 마음 놓고 누릴 수 있는 마음의 자유 천지가 아니다.

일제의 침략과 공산주의 집단의 남침으로 초토화된 조국에서 이 시인도 엄혹한 강풍에 휘말리지 않을 수 없었다. 우리나라 신시사상(新詩史上) 최초의 서사시로서 큰 반향을 일으킨 서사시 「국경의 밤」으로도 유명하거니와 향토정서가 풍부한 민요적 가락의 서정시를 많이 발표하여 한국 문학 초창기에 이광수 주요한 등과 함께 문명을 떨쳤다.

청포도

이육사

내 고장 칠월은
청포도가 익어가는 계절

이 마을 전설이 주저리주저리 열리고
먼 데 하늘이 꿈꾸며 알알이 들어와 박혀

하늘 밑 푸른 바다가 가슴을 열고
흰 돛단배가 곱게 밀려서 오면

내가 바라는 손님은 고달픈 몸으로
청포(青袍)를 입고 찾아온다고 했으니,

내 그를 맞아, 이 포도를 따 먹으면
두 손은 함뿍 적셔도 좋으련.

아이야, 우리 식탁엔 은쟁반에
하이얀 모시 수건을 마련해 두렴.

📖 시작노트

　이육사(李陸史) 시인의 이 작품(청포도)은 1939년『문장』지에 발표한 대표적 서정시 중의 하나다. 여기에서는 향토색 짙은 시어(詩語)가 돋보인다. 이 시에서 핵심 시어는 '청포도'와 '청포를 입은 손님'이라 할 수 있다. 여기에서 '청포를 입은 손님'은 '청포도'와 유추 관계로, 단순한 손님이 아니라 어두운 역사의 질곡에서 어렵게 사는 존재를 의미한다.
　청포도가 익는 계절에 찾아오는 손님을 기다리는 순후한 정서가 주조를 이루고 있다. 신선한 동경(憧憬)과 기다림이 자연스럽게 전해지는 작품이다.

산방山房

조지훈

닫힌 사립에
꽃잎이 떨리노니

구름에 싸인 집이
물소리도 스미노라

단비 맞고 난초잎은
새삼 차운데

볕받은 미닫이를
꿀벌이 스쳐 간다.

바위는 제자리에
움직 않노니

푸른 이끼 입음이

자랑스러라

아스림 흔들리는
소소리바람

고사리 새순이
도르르 말린다

 시작노트

　조지훈(趙芝薰) 시인의 시「산방」은 자연을 노래한 관조(觀照)의 시
다. 관조란 고요한 마음으로 사물을 관찰하는 일을 말한다.

산수도山水圖

· 산수는 오롯한 한 폭의 그림이냐

신석정

숲길 짙어 이끼 푸르고
나무 사이사이 강물이 희여……

햇볕 어린 가지 끝에 산새 쉬고
흰구름 한가히 하늘을 거닌다

산가마귀 소리 골짝에 잦은데
등 넘어 바람이 넘어 닥쳐와……

굽어든 숲길을 돌아서 돌아서
시냇물 여음이 옥인듯 맑아라

푸른산 푸른산이 천년만 가리
강물이 흘러흘러 만년만 가리

신석정(辛夕汀) 시인의 이 시(산수도)는 운치(韻致)가 극치(極致)에 이른 수작(秀作)이다. 소리(韻)와 그림(致)이 더할 나위 없이 완벽하기 그지없다. "산수는 오롯한 한 폭의 그림이냐"는 부제(副題)가 붙은 작품이다. 이 시에서는 자연 속에 유유자적(悠悠自適)한 선비의 풍모가 내비친다.

한 폭의 산수화를 대하듯 한없이 맑은 시심이 감돈다. 더욱이 "푸른산 푸른산이 천년만 가리 - 강물이 흘러흘러 만년만 가리"는 절창(絕唱)이다. 아름다운 골짜기에서 맑은 물이 흐르듯, 풍치의 조화는 관조하게 하면서 시의 정신세계를 유장하게 한다. 대자연을 관조하고 사색하는 선비정신에 타성(惰性)에 젖은 타락성 근성이랄까, 속진(俗塵)이 끼어들 자리가 없겠다.

마음

김광섭

나의 마음은 고요한 물결
바람이 불어도 흔들리고
구름이 지나도 그림자 지는 곳

돌을 던지는 사람
고기를 낚는 사람
노래를 부르는 사람

이 물가 외로운 밤이면
별은 고요히 물 위에 내리고
숲은 말없이 잠드나니

행(幸)여 백조(白鳥)가 오는 날
이 물가 어지러울까.
나는 밤마다 꿈을 덮노라.

여기에 나오는 '고요한 물결'은 원관념인 '내 마음'을 나타내기 위해 차용한 보조관념이다. 이 보조관념에 의해서 이 시인의 마음의 상태가 구체적이면서도 효과적으로 나타나게 되므로 표현을 위해서는 이 보조관념은 필요 불가결의 것이다.

'구슬이 서 말이라도 꿰어야 보배'라는 말이 있다. 아무리 좋은 사상 감정이 떠오른다 할지라도 그 마음 세계를 구체적으로 형상화하지 않으면 안 된다. 그러므로 말하고자 하는 그 원관념을 효과적으로 드러내기 위해서 보조관념을 차용할 줄 아는 유추능력이 요구된다. 유추란 어떠한 사실을 근거로 하여, 그것과 같은 조건 아래에 있는 다른 사실을 미루어 헤아리는 일을 말한다. 이는 유비(類比)라고도 하는데, 서로 다른 사물이 상호 간에 대응적으로 존재하는 유사성 또는 동일성을 가리킨다.

유사성이나 동일성이란 사물을 바라보고 인식하는 주체적 시인이나 그 대응관계에 있는 대상적 사물 사이에 내재하는 상사성(相似性)을 전제로 한다. 현대 시는 이미지라든지, 은유 상징 유사 또는 유추가 유기적으로 공존한다. 이러한 요소들은 현대시 작법에 절대적으로 필요한 방법들이다. 이러한 요소들을 제대로 부려 쓰는 게 중요하다.

이 시에서 김광섭 시인은 고요한 마음을 지니고 싶지만, 돌을 던지는 사람이나 고기를 낚는 사람 등 마음을 어지럽히는 사람이 있어서 편치 않다. 이 시인은 그런 방해자와 대립하고 싶지 않다. 외부의 방해자와 투쟁하기보다는 스스로 마음을 다스려서 백조가 오는 날에는 어지럽지 않도록 밤마다 꿈을 덮는다고 성숙한 생각을 보인다.

눈 오는 밤에

김용호

오누이들의
정다운 얘기에
어느 집 질화로엔
밤알이 토실토실 익겠다.

콩기름 불 실고추처럼 가늘게 피어나던 밤
파묻은 불씨를 헤쳐
잎담배를 피우며

〈고놈, 눈동자가 초롱 같애〉

내 머리를 쓰다듬어 주시던 할머니,
바깥엔 연방 눈이 내리고
오늘 밤처럼 눈이 내리고,

다만 이제 나 홀로
눈을 밟으며 간다.
오버 자락에
구수한 할머니의 옛 애기를 싸고
어린 시절의 그 눈을 밟으며 간다.

오누이들의
정다운 애기에
어느 집 질화로엔
밤알이 토실토실 익겠다.

~~~~~~ 시작노트

　김용호(金容浩) 시인의 시〈눈 오는 밤에〉다. 질화로를 둘러싼 오누
이들의 정다운 설야(雪夜) 풍경이 선명하게 다가온다. 어린 시절에
눈 내리는 밤을 떠올리며 추억을 회상하는 시인의 마음이 따뜻하
게 다가온다. 첫 연과 끝 연이 동일하게 반복되는 데, 이런 기법은
빼어나게 잘 된 시일수록 강조나 운치에 효과가 있다.

봄은 고양이로다

이장희

꽃가루와 같이 부드러운 고양이의 털에
고운 봄의 향기가 어리우도다.

금방울 같이 호동그란 고양이의 눈에
미친 봄의 불길이 흐르도다.

고요히 다물은 고양이의 입술에
포근한 고양이의 졸음이 떠돌아라.

날카롭게 쭉 뻗은 고양이의 수염에
푸른 봄의 생기(生氣)가 뛰놀아라.

이장희(李章熙) 시인은 20여 편의 과작(寡作)에 그쳤지만, 극히 즉물적인 감각의 수사법으로 심미적 이미지를 엮어내는 특이한 작품을 씀으로써 문단을 놀라게 했다. 당시의 시단 풍토의 주조는 서구의 문예사조를 무분별하게 수용하여 낭만주의, 퇴폐주의, 상징주의가 마구 혼류를 이룰 때였지만, 그의 시는 너무도 섬세한 감각적 이미지를 보여주었다.

1920년대의 모더니스트로 불린 이장희 시인은 감상적, 또는 퇴폐적 낭만주의가 풍미하던 시대에 새로운 이미지를 보여주었다. 이 시는 고양이의 형상과 봄의 분위기를 탁월한 감각적 이미지와 비유법을 연관시킨 걸작이다.

여기에서는 고양이의 털과 눈, 입술, 수염을 통하여 봄의 향기라든지 불기, 졸음, 생기가 느껴지는 감각적 요소를 시로 형상화하고 있다. 그는 즉물적 감각의 수사법을 구사하여 심미적 이미지를 이채롭게 살려내는 묘미를 보였다.

여기에서는 '봄'과 '고양이'의 상사성(相似性)을 보게 된다. 고양이가 지닌 털과 눈과 입술과 수염에서 봄의 향기와 불길과 졸음과 생기를 유추(類推)해 내고 있다. 이는 순수지각의 완벽한 경지라 하겠다. 여기에는 시각적 색채의식과 형태의식이 복합적으로 어우러져 봄의 '졸음'과 '생기'라는 양면을 조화시키고 있다. 졸리는 노곤한 봄과 생기발랄한 봄의 자연스러운 하모니를 이루고 있다.

그는 대표작 「봄은 고양이로다(1923)」 등을 남기고, 지나친 쇠약과 고독과 회의 끝에 28세를 일기로 음독자살했다.

b 사랑으로 생명의 꽃을 피운다

"사랑은 생명의 꽃"이라는 말이 있다. "시(詩)는 신(神)의 말"이라는 말도 있다. 사랑이 있는 곳에 생명이 있고, 생명이 있는 곳에 사랑이 있기 마련이다. 왜 그럴까. 단순하게 말해서 주고자 하는 힘이 사랑이다. 상대가 서로 잘 주고받으면 그 관계는 계속 지속한다. 그러나 받으려고만 하면 그 관계는 지속할 수 없다. 그러므로 누구나 행복하기 위해서는 사랑해야 한다. 무슨 대가를 바라기 위해서 주는 것은 욕심이지 진정한 사랑이라 할 수 없다.

그러므로 "진정한 사랑이 있는 곳에 시가 있다."거나 "아름다운 생명이 있는 곳에 시가 있다."는 말은 수월하게 통용된다. 그러므로 좋은 시를 쓰려면 우선 먼저 사람다운 사람이 되라고 말하고자 한다. 어떠한 사람이 사람다운 사람인가. 상대를 배려할 줄 아는 사람이다. 자기 말을 앞세우는 사람이 아니라 말을 들어주는 사람이다. 그런 사람은 지도자가 되기 쉽다. 친구들이 좋아하기 때문이다.

진달래꽃

김소월

나 보기가 역겨워
가실 때에는
말없이 고이 보내드리우리다.

영변(寧邊)에 약산(藥山)
진달래꽃
아름 따다 가실 길에 뿌리우리다.

가시는 걸음걸음
놓인 그 꽃을
사뿐히 즈려밟고 가시옵소서.

나보기가 역겨워
가실 때에는
죽어도 아니 눈물 흘리우리다.

현대시가 앞으로 어떻게 변모해 가든지 간에 우리가 외면할 수 없는 시의 존재 위치는 김소월(金素月)의 시 세계다. 그의 시에는 사랑과 생명이 있고, 겨레의 정한(情恨)과 율조(律調)가 있다. 특히「진달래꽃」은 지고지순한 사랑이 돋보인다. 이 시에서 '역겨워서'는 역정이 나도록 싫다는 말이다. 싫다고 떠나는 님이 매우 못마땅하여 화를 낼 정도로 싫다고 떠나는 임에게 오히려 정제된 말씨로 깍듯이 배려하는 말을 쓰고 있다.

원망하고 증오해도 시원찮을 임의 가는 길에 부드러운 진달래꽃을 뿌려줄 테니 밟고 가라는 아이러니는 절제된 심정의 시어(詩語)로서 시의 격을 높였다. 여기에서는 정제된 반어법이 응축의 묘미를 살려내고 있다.

내 마음은

김동명

내 마음은 호수요,
그대 저어 오오.
나는 그대의 흰 그림자를 안고
옥같이 그대의 뱃전에 부서지리다.

내 마음은 촉(燭)불이요,
그대 저 문을 닫아주오.
나는 그대의 비단 옷자락에 떨며,
고요히
최후의 한 방울도 남김없이 타오리다.

내 마음은 나그네요,
그대 피리를 불어주오.
나는 달 아래 귀를 기울이며,

호젓이
나의 밤을 새이오리다.

내 마음은 낙엽이요,
잠깐 그대의 뜰에 머무르게 하오.

이제 바람이 일면 나는
또 나그네 같이, 외로이
그대를 떠나오리다.

 시작노트

　　김동진 교수의 작곡으로 널리 애창되고 있는 김동명(金東鳴)의 이 시(내 마음)는 『조광』(3권 6호, 1937년 6월)에 발표된 작품이다. 여기에서는 '내 마음'이라는 원관념을 '호수' '촛불' '낙엽'이라는 보조관념을 통해서 나타내고 있다. 그가 표현하고자 하는 원관념은 임에 향하는 사랑의 정서를 호수와 촛불을 통해서 부서지고 타오른다는 희생적이고 헌신적인 사랑을 보여주고 있다. 여기에서는 사랑과 이별이라는 갈등상태를 자연스럽게 극복하는 낭만적 승화를 보이고 있다.

남으로 창을 내겠소

김상용

남으로 창을 내겠소
밭이 한참 갈이
괭이로 파고
호미론 풀을 매지요.

구름이 꼬인다 갈 리 있소
새 노래는 공으로 들으랴오

강냉이가 익걸랑
함께 와 자셔도 좋소.

왜 사냐건
웃지요.

　김상용(金尙鎔) 시인의 시 「남으로 창을 내겠소」(『문학』 2호, 1934.2)다. 김상용 시인 하면, 「남으로 창을 내겠소」라는 시가 떠오르고, 그 시를 떠올리면 "왜 사냐건 웃지요"라는 마지막 구절이 떠오르기 마련이다. 그만큼 그의 시는 우리나라 전원시(田園詩)에서 백미로 꼽히는 작품이다. 이 시는 김상용 시인의 욕심 없는 시세계가 인생론적으로 드러난 작품이다. 세속에 때 묻지 않은 어떤 달관의 경지 같은 게 엿보이는 작품이다.

돌담에 소색이는 햇발

김영랑

돌담에 소색이는 햇발같이
풀 아래 웃음 짓는 샘물같이
내 마음 고요히 고흔 봄 길위에
오늘 하루 하늘을 우러르고 싶다.

새악시 볼에 떠오는 부끄럼같이
시의 가슴 살프시 젖는 물결같이
보드레한 에메랄드 얄게 흐르는
실비단 하늘을 바라보고 싶다

✎ 시작노트

김영랑(金永郎) 시인의 이 시(돌담에 소색이는 햇발)에는 '돌담',
'햇발', '샘물', '하늘', '물결', '풀', '볼', '고흔봄', '새악시', '부끄럼',
'실비단', '시의 가슴', '에메랄드' 등 사물의 소성(素性)은 이미 이 시인의 의식 세계에 내재한 요소들이다.

우리가 어떠한 사물을 보게 될 때 그것이 무엇인지 인식이 가능한 것은, 그 대상(사물)을 바라보는 주체(시인)에게도 그 대상과 같은 동질요소가 있어서 서로 닮은 두 요소가 합치되는 경우라고 할 때 그러한 상사성적(相似性的) 인식의 논리가 적용된다.

이 시는 샘물이 솟아 흐르는 샘도랑 가 돌담에 얼룩얼룩 움직이는 물그림자가 햇살과 더불어 물무늬를 이루는 진경을 아름답게 표현하고 있다. 그는 아름다운 사물을 포착하여 아름답게 표현하는 재주를 지녔다.

김영랑 시인을 가리켜 유미주의자(唯美主義者)니, 서정주의의 극치니, 서정시의 한 정상이니, 순수시의 종사(宗師)니 하는 등으로 말한다. 그는 그만큼 어떠한 관념적인 목적의식이나 사회성 따위의 비순수적 요소를 배제하고, 순수문학을 옹호하며, 시어(詩語)의 조탁(彫琢)에 빼어난 진경(眞境)을 보인 시문학파의 상징적 존재였다.

모란이 피기까지는

김영랑

모란이 피기까지는

나는 아직 나의 봄을 기다리고 있을 테요.

모란이 뚝뚝 떨어져 버린 날

나는 비로소 봄을 여읜 설움에 잠길 테요.

오월 어느 날, 그 하루 무덥던 날,

떨어져 누운 꽃잎마저 시들어버리고는

천지에 모란은 자취도 없어지고,

뻗쳐오르던 내 보람 서운케 무너졌느니

모란이 지고 말면 그뿐, 내 한 해는 다 가고 말아,

삼백 예순 날 하냥 섭섭해 우옵내다.

모란이 피기까지는,

나는 아직 기다리고 있을 테요, 찬란한 슬픔의 봄을.

이 시(모란이 피기까지는)에서는 김영랑 시인의 순수한 마음을 읽게 된다. 우선 생각할 수 있는 게 아름다움의 집착이다. 라이너 마리아 릴케가 「가을날」이라는 시에서 신에게 간구한 것은 햇살이 이틀만 더 머무르게 하시어 포도주가 맛들 게 해 달라고 간구한 것처럼, 모란에 향하는 바람이 대단하다.

이 시에서는 모란에 향하는 애틋한 정서가 주조(主調)를 이루고 있다. 여기에서 '모란'과 '봄'은 동일한 상념으로서 보람으로 이어진다. 모란이 지면 "삼백 예순 날 하냥 섭섭해 우옵내다"라든가, "찬란한 슬픔의 봄"을 가다리는 경지는 그저 슬픈 감상에 머무는 게 아니라 슬픔을 찬란하게 승화시키는 차원을 말한다.

여승女僧

백석

여승은 합장하고 절을 했다.

가지취*의 내음새가 났다.

쓸쓸한 낯이 옛날 같이 늙었다.

나는 불경(佛經)처럼 서러워졌다.

평안도(平安道)의 어느 산(山) 깊은 금점판[1]

나는 파리한* 여인에게서 옥수수를 샀다.

여인은 나 어린 딸아이를 때리며 가을밤같이 차게 울었다.

섶벌* 같이 나아간 지아비 기다려 십 년이 갔다.

----

* **가지취** : 취나물의 일종.
* **금점판** : 금광.
* **파리한** : 마르고 해쓱한.
* **섶벌** : 재래종 일벌.

지아비는 돌아오지 않고

어린 딸은 도라지꽃이 좋아 돌무덤으로 갔다.
산꿩도 섧게 울은 슬픈 날이 있었다.
산 절의 마당귀에 여인의 머리오리*가 눈물방울과 같이 떨어
진 날이 있었다.

시작노트

　백석(白石) 시인의 이 시(여승) 1연은 여승의 현재 상태를 나타내
고 있다. 2~3연은 슬픈 과거 회상이다. 깊은 산골 광산촌에서 가련
한 여인에게서 옥수수를 샀고, 여인은 딸아이를 때리며 울었는데,
남편은 돌아오지 않고, 딸아이는 죽었다는 얘기다. 이처럼 처절한
경우에는 스스로 죽기 아니면 중이 되는 길밖에 없었다. 이 시의 절
정은 마지막 4행에서 산꿩도 서럽게 울던 날 "절의 마당귀에 여인
의 머리오리가 눈물방울과 같이 떨어진 날이었다"는 귀결이다.
　여인의 머리오리가 눈물방울과 같이 떨어진다는 것은 속세 인
연과의 단절을 의미한다. 남편은 죽었는지 살았는 지 소식이 없고,
딸은 죽었으니 스님이 되어 명복을 비는 수밖에 없었을 것이다.

----

* **머리오리** : 머리 올, 머리카락의 가닥.

정주성定州城

백석

산(山)턱 원두막은 비었나 봄빛이 외롭다.
헝겊 심지에 아주까리* 기름의 쏘는 소리가 들리는 듯하다

잠자리 조을던 무너진 성(城)터
반딧불이 난다 파란 혼(魂)들 같다
어디서 말 있는 듯이 커다란 산새 한 마리 어두운 골짜기로 난다

헐리다 남은 성문(城門)이
한울* 빛같이 훤하다.
날이 밝으면 또 메기수염의 늙은이가 청배*를 팔러 올 것이다.

----

* **아주까리** : 버들옷과의 한해살이풀. 8~9월에 붉은 꽃이 피며 씨로 기름을 짠
다. 피마자.
* **한울** : 하늘
* **청배** : '청술레의 다른 말. 푸른 빛이 도는 배의 한가지.

퇴락한 정주성을 표현하고 있다. 원두막 불빛이 외롭고, "헝겊 심지에 아주까리 기름의 쏘는 소리"는 호롱의 기름 졸아드는 소리를 말하는데, 그런 소리가 들릴 리 만무하므로 고요의 극치를 말한다. 고풍스런 정주성의 고요함을 표현하기 위함이다. 무너진 성터에 반딧불을 혼으로 유추한다. 여기에서의 혼은 유구한 역사성을 띤 복합적 이미지를 거느린다. 이러한 역사의식은 "메기수염의 늙은이"로 하여금 현실의식으로 교차한다. 폐허가 된 정주성을 관조하면서 연연히 이어온 사람들은 역사의 허망함에도 아랑곳하지 않고 계속해서 삶을 이어간다는 끈질긴 삶을 암시하고 있다.

또 다른 고향

윤동주

고향에 돌아온 날 밤에
내 백골(白骨)이 따라와 한 방에 누웠다.

어둔 방은 우주와 통하고
하늘에선가 소리처럼 바람이 불어온다.

어둠 속에 곱게 풍화작용하는
백골을 들여다보며
눈물짓는 것이 내가 우는 것이냐
백골이 우는 것이냐
아름다운 혼(魂)이 우는 것이냐.

지조(志操) 높은 개는
밤을 새워 어둠을 짖는다.
어둠을 짖는 개는
나를 쫓는 것일 게다.

가자 가자

쫓기는 사람처럼 가자

백골 몰래

아름다운 또 다른 고향에 가자.

시작노트

　윤동주(尹東柱) 시인의 시(또 다른 고향)다. 이 시를 수월하게 감상하기 위해서는 사도 바울의 고백을 참고하는 게 바람직할 것으로 여겨진다. 바울의 신앙고백은 다음과 같다. "내 속사람으로는 하나님의 법을 즐거워하되 내 지체 속에서 한 다른 법이 내 마음의 법과 싸워 내 지체 속에 있는 죄의 법 아래로 나를 사로잡아 오는 것을 보는 도다. 오호라 나는 곤고한 사람이로다. 이 사망의 몸에서 누가 나를 건져내랴. 우리 주 예수 그리스도로 말미암아 하나님께 감사하리로다. 그런즉 나 자신의 마음으로는 하나님의 법을, 육신으로는 죄의 법을 섬기노라.(로마서 7장 23~25절)"

　2천 년이라는 시공(時空)을 두고 사도 바울과 윤동주 시인의 처지는 다르다. 그러나 영혼과 육신, 속사람과 겉 사람, 마음과 몸의 갈등구조는 같다. 윤동주 시인의 처지에서 보면 하나님의 법을 즐거워하는 마음은 피침(被侵)의 조국 현실이 아니라 아름다운 혼(魂)으로 본향(本鄕)을 찾아가는 것이다. 여기에 나오는 백골(白骨)은 육신 상징이다. 그러므로 백골과는 대립하고 있다. 윤동주 시인은 본연의 자아 본향으로 향하는 마음이 치열하다.

별 헤는 밤

윤동주

계절이 지나가는 하늘에는
가을로 가득 차 있습니다.

나는 아무 걱정도 없이
가을 속의 별들을 다 헤일 듯합니다.

가슴속에 하나둘 새겨지는 별을
이제 다 못 헤는 것은
쉬이 아침이 오는 까닭이요,
내일 밤이 남은 까닭이요,
아직 나의 청춘이 다하지 않은 까닭입니다.

별 하나에 추억과
별 하나에 사랑과

별 하나에 쓸쓸함과
별 하나에 동경(憧憬)과
별 하나에 시(詩)와
별 하나에 어머니, 어머니,

어머님, 나는 별 하나에 아름다운 말 한마디씩 불러봅니다.
소학교 때 책상을 같이 했던 아이들의 이름과 패, 경, 옥, 이런
이국 소녀들의 이름과, 벌써 아기 어머니 된 계집애들의 이름
과, 가난한 이웃 사람들의 이름과 비둘기, 강아지, 토끼, 노새,
노루, 프랑시스 잠, 라이너 마리아 릴케, 이런 시인의 이름을
불러봅니다.

이네들은 너무나 멀리 있습니다.
별이 아슬히 멀듯이

어머님,
그리고, 당신은 멀리 북간도(北間島)에 계십니다.

나는 무엇인지 그리워
이 많은 별빛이 내린 언덕 위에
내 이름자를 써 보고,
흙으로 덮어버리었습니다.

딴은, 밤을 새워 우는 벌레는
부끄러운 이름을 슬퍼하는 까닭입니다.

그러나, 겨울이 지나고 나의 별에도 봄이 오면,
무덤 위에 파란 잔디가 피어나듯이
내 이름자 묻힌 언덕 위에도
자랑처럼 풀이 무성할 게외다.

시작노트

　윤동주 시인의 이 시(별 헤는 밤)는 추억 속에서 동경(憧憬)과 그리움이 절절하게 녹아들어 있는 작품이다. 그것은 별처럼 멀리 있는 어머니와 고향으로 향하는 그리움뿐 아니라 시인 자신과 직접 간접으로 인연 지어 있는 모든 존재, 유소년 시절의 친구들과 약한 동물들, 그리고 그 약한 동물들을 사랑했던 프랑시스 잠과 라이너 마리아 릴케 등 선량한 인물과 사물에까지 향하는 그리움이다. 이는 모든 존재를 사랑해야 하는 신의 무소부재(無所不在)와도 일치한다. 이 시는 아름다운 가을 하늘과 별과 시인의 고향인 북간도의 이국 풍정, 그리고 어머니를 통한 모국의 표상을 그려내고 있다.

바위

유치환

내 죽으면 한 개 바위가 되리라.

아예 애련(愛憐)에 물들지 않고

희로(喜怒)에 움직이지 않고

비와 바람에 깎이는 대로

억년(億年) 비정(非情)의 함묵(緘默)에

안으로 안으로만 채찍질하여

드디어 생명도 망각(忘却)하고

흐르는 구름

머언 원뢰(遠雷)

꿈꾸어도 노래하지 않고,

두 쪽으로 깨뜨려져도

소리하지 않는 바위가 되리라.

유치환(柳致環) 시인의 이 시(바위)는 허무를 향한 불굴의 의지를
노래함으로써 허무의 극복 의지를 확연히 보여준 작품이다. 인생
의 희로애락을 겉으로 나타내지 않고, 자아의 구원을 완성하겠다
는 처절한 의지의 시작품임을 알 수 있다. 여기에서의 '바위'는 어
떤 의지나 이념을 표상하는 것으로 일체의 감정이나 외부의 변화
에도 움직이지 않는 초탈의 경지를 상징한다. 과묵하기 이를 데 없
는 '바위'를 통해 죽음으로 비롯되는 허무 의식을 극복하는 이 시는
죽으면 한 개 바위가 되겠다는 비장한 선언으로 시작한다.

일체의 감정에 좌우됨이 없이 안으로 자아를 절제하고 응시하
며 인내하면서 초탈의 경지에서 안심입명(安心立命)을 누리고자 하
는 주제를 철저히 살려내고 있다. 인생의 유한성과 자연물의 영원
성을 대조시킴으로써 유한성을 극복하고, 영원한 존재인 신성까
지도 자연 속에서 융합되기를 바라는 암유(暗喩)가 깔려 있다. 세상
이 싫어지면 그 염세는 은둔으로 나타난다. 찢기고 할퀸 상처를 치
유하려는 의식의 세계는 침묵으로 나타난다. 어떤 감정도 개입할
수 없는 바위의 침묵, 그것은 말 이상의 말이요, 글 이상의 글이다.
고도로 절제되고 응축된 시의 덩어리인 셈이다.

깃발

유치환

이것은 소리 없는 아우성
저 푸른 해원(海原)을 향하여 흔드는
영원한 노스탤지어의 손수건
순정은 물결같이 바람에 나부끼고
오로지 맑고 곧은 이념의 푯대 끝에
애수(哀愁)는 백로처럼 날개를 펴다.
아! 누구인가?
이렇게 슬프고도 애달픈 마음을
맨 처음 공중에 달 줄을 안 그는.

 시작노트

　이 시는 청마 유치환이 의지적인 이념의 푯대를 통하여 '소리 없
는 아우성'을 나타낸 작품이다. 여기에서는 이념의 푯대 끝의 '깃
발'에 '소리 없는 아우성'이라든지, '노스탤지어의 손수건', '순정

은 물결같이', '애수는 백로처럼' 등의 보조관념이 은유의 형태를 취하고 있다.

여기에서는 '맑고 곧은 이념의 푯대 끝'에서 이상향을 향한 소리 없는 '아우성'의 몸짓으로 투철한 의지를 보인다. 그는 결국 '깃발'을 통해서 '소리 없는 아우성'을 제시했다.

동천冬天

서정주

내 마음속 우리 님의 고운 눈썹을
즈믄 밤의 꿈으로 맑게 씻어서
하늘에다 옮기어 심어 놨더니
동지섯달 나는 매서운 새가
그걸 알고 시늉하며 비끼어 가네.

🕮 시작노트

　이 시(동천)는『현대문학』(137호, 1966년 5월)에 수록된 작품이
다. 절대가치의 아름다움과 절대 신앙의 대상을 눈썹에 환유(換喻)
하여 성공한 작품이다. 여기서는 환유법과 호환법(互換法)을 합친

거우법(擧隅法)을 활용하고 있다. 이 시의 공간은 겨울 하늘에 떠 있는 초승달과 그 곁을 스쳐 가는 철새가 전부다. 서정주 시인은 이 단순한 공간에 생산적(창조적) 상상으로 이 명시를 창작했다.

여기에서는 거우법이 중요한 역할을 하고 있다. 서정주 시인은 자기가 지극히 아끼는 아름다운 존재를 드러내 밝히지 않고 그것을 대신할 수 있는 '초승달'과 '눈썹'을 동일시하여 표현하고 있다. '눈썹'과 '초승달'이라는 사물의 일부를 들어서 임이라는 소중한 존재를 추찰(推察)하게 하고 있다. 즉 일부를 제시하여 전체를 알리려 하는데, 바람직한 감상 방법은 시인의 아음속으로 들어가는 일이다.

시인의 마음으로 들어가기 위해서는 시를 주의 깊게 살펴볼 필요가 있다. 여기에 나오는 시어(詩語)들은 실용적인 말이 아니고 신비적인 시어이므로 함부로 재단해서는 안 된다. 이 시인은 임의 고운 눈썹을 '즈믄 밤' 즉 천년 꿈으로 맑게 씻는다고 했다. 눈썹을 물로 씻는 게 아니라 천년이나 꿈으로 아로새기며 씻는다? 이렇게 상식을 초월하는 말에는 초월하는 방식을 따를 수밖에 없다.

서정주 시인이 아름다운 님을 아무도 손대지 못하도록 하늘에 심어놓았는데, 시의 자초지종으로 미루어보면 여기까지는 이해되는 데, "그걸 알고" 라는 말이 걸린다. 여기서는 독자가 시인의 창작 의도를 눈치채야 한다. 그렇게 보면 "그걸 알고"는 이 시인이 '임을 지극히 아끼는 줄 알고; 매서운 새가 해코지하지 않고, 해코지하는 척 시늉만 하고 비켜 간다는 이야기다. 이 얼마나 놀라운 창조적 상상력의 소산인가. 아무튼 이 시는 서정주(徐廷柱) 시인의 고도한 상상력의 전략에 의해서 쓰이어진 대표작 중의 하나라 하겠다.

국화 옆에서

서정주

한 송이의 국화꽃을 피우기 위해
봄부터 소쩍새는
그렇게 울었나 보다.

한 송이의 국화꽃을 피우기 위해
천둥은 먹구름 속에서
또 그렇게 울었나 보다.

그립고 아쉬움에 가슴 조이던
머언 먼 젊음의 뒤안길에서
인제는 돌아와 거울 앞에 선
내 누님같이 생긴 꽃이여

노란 네 꽃잎이 피려고

간밤엔 무서리가 저리 내리고
내게는 잠도 오지 않았나 보다.

🖍️ 시작노트

진리는 단순하다는 말이 있다. 서정주의 이 시(국화 옆에서)는 편하게 읽히면서도 감동을 주고, 교훈을 주며, 즐거움을 주는 작품이다. 이 시는 수월하게 읽히면서도 인생에 대해 깊이 이해하고 성찰하게 한다. 가장 한국적인 시를 쓴다는 서정주 시인의 대표작 중의 한 편이다.

이 시에서는 국화꽃이 피는 과정을 통하여 인생을 말하고 있다. 국화꽃을 피우기 위하여 소쩍새가 울고, 천둥이 먹구름 속에서 울며, 무서리가 내리고, "먼 젊음의 뒤안길"로 상징되는 번민과 시련, 고통의 극복 의지가 내비친다. 그리고 고난의 과정을 통하여 국화는 누님같이 아름다운 꽃으로 피어난다는 이야기다. 사람은 고난의 극복을 통하여 아름답게 성숙한다는 인생의 새로운 해석의 여지를 남겼다. 수월하게 읽히면서도 비범한 철학이 느껴지는 명시라 하겠다.

C | 사색思索에서 지혜를 얻는다

파스칼의 "인간은 생각하는 갈대"라는 말은 여러 해석이 가능하겠지만, 시와 관련해서 보면 참으로 의미 깊은 말이다. 윌리엄 블레이크는 "모래알 한 알에 우주를 생각하고, 손바닥을 제치면서 영원을 생각한다."고 했다. 갈대와도 같이 하찮은 인간이 생각함으로 말미암아 무한소(無限小)와 무한대(無限大)의 시공(時空)을 초월한 시의 세계에서 자유롭게 넘나들지 않은가.

그런데 생산적(창조적) 상상으로 얻어지는 시와 멀어지고 돈의 신을 섬기면서부터 타성에 젖은 고래들이 썩은 내를 풍기면서 떠내려 가고 있다, 돈 봉투 썩은 내를 풍기면서 떠내려가는가 하면, 인술(仁術)을 외면한 채 떠내려가고, 범죄한 가족까지 나서서 부끄러운 줄도 모르고 떠내려간다.

워즈워스의 무지개(어린이는 어른의 아버지)는 이 썩은 나라에서 소멸하였다. 그 대신 동시를 모르는 어린이가 유치찬란한 무대에서 간드러지게 실연의 이별을 흐느낄 때 좋아라고 손뼉 치는 어른들도 하류로 떠내려간다. 모두 좋아하며 손뼉 치는 하류는 돈의 노예들이 생각할 줄 모르고 시나브로 끓는 물에 녹는 곳이다.

정지용의 시는 사색하게 한다. 정지용(鄭芝溶, 1903~1950)

시인은 모더니즘 시 세계에 있어서 선명한 봉우리를 이루었다. 충북 옥천에서 태어나 교토(京都)의 도시샤(同志社)대학 영문과를 졸업하고 귀국한 후 휘문고보 교유, 광복 후 이화여전 문과 교수를 역임했고, 경향신문 편집국장을 역임하기도 했다.

향수鄕愁

정지용

넓은 벌 동쪽 끝으로
옛이야기 지줄대는 실개천이 휘돌아 나가고
얼룩백이 황소가
해설피 금빛 게으른 울음을 우는 곳.

- 그곳이 차마 꿈엔들 잊힐 리야.

질화로에 재가 식어지면
비인 밭에 밤바람 소리 말을 달리고,
엷은 졸음에 겨운 늙으신 아버지가
짚베개를 돋워 고이시는 곳

- 그곳이 차마 꿈엔들 잊힐 리야.

흙에서 자란 내 마음
파란 하늘빛이 그리워
함부로 쏜 화살을 찾으려
풀섶 이슬에 함초롬 휘적시던 곳.

 - 그곳이 차마 꿈엔들 잊힐 리야.

전설(傳說) 바다에 춤추는 밤 물결 같은
검은 귀밑머리 날리는 어린 누이와
아무렇지도 않고 예쁠 것도 없는,
사철 발 벗은 아내가
따가운 햇살을 등에 지고 이삭 줍던 곳.

 - 그곳이 차마 꿈엔들 잊힐 리야.

하늘에는 성긴 별
알 수도 없는 모래성으로 발을 옮기고,
서리 까마귀 우지짖고 지나가는 초라한 지붕,
흐릿한 불빛에 돌아앉아
도란도란거리는 곳.

- 그 곳이 차마 꿈엔들 잊힐 리야.

이 시(향수)는『조선지광(朝鮮之光)(제65호, 1927. 3)』에 발표한 정지용 시인의 대표작 중의 하나다. 향토적, 회화적 공간의식과 상상구조(想像構造)의 특징 있는 고도의 세련미를 보여준다. 전통적이며 토속적인 시어의 표현을 통하여 향토적 정감을 효과적으로 살려내고 있다.

"얼룩백이 황소가 해설피 금빛 게으른 울음"을 울고, "졸음에 겨운 늙으신 아버지가 짚베개를 돋워 고이시"며, "사철 발벗은 아내가 따가운 햇살을 등에 지고 이삭 줍던 곳"을 회상하면서 "그곳이 차마 꿈엔들 잊힐 리야." 하는 음률로 반복 강조함으로써 고향에 향하는 그리움을 극대화하고 있다.

바다 2

정지용

바다는 뿔뿔이
달아나려고 했다.

푸른 도마뱀 떼같이
재재발렀다.

꼬리가 이루
잡히지 않았다.

흰 발톱이 찢긴
산호(珊瑚)보다 붉고 슬픈 생채기!

가까스로 몰아다 부치고
변죽을 들러 손질하여 물기를 시쳤다.

이 애쓴 해도(海圖)에
손을 씻고 떼었다.

찰찰 넘치도록
돌돌 구르도록

휘동그란히 받쳐들었다.
지구(地球)는 연잎인 양
오므라들고…… 펴고……

📖 시작노트

　이 시(바다 2)는 『시원(詩苑)』(제5호, 1935. 12)에 발표된 작품으로, 지성과 감성의 미묘한 하모니를 이룬다. 이 시인이 바다로 향하는 상상력은 그렇게 경이롭고도 신선하고 신비로울 수가 없다. 그것은 상식을 뛰어넘는 시의 경이감이다. 여기에서는 놀랍게도 바다의 푸른 파도의 움직임을 뿔뿔이 달아나려고 하는 도마뱀 떼로 유추하여 표현하고 있다. 유선형으로 매끄러운 푸른 도마뱀이라는 이미지를 끌어 올린 비범함에 놀라지 않을 수 없다.

마음

김광섭

나의 마음은 고요한 물결
바람이 불어도 흔들리고
구름이 지나도 그림자 지는 곳

돌을 던지는 사람
고기를 낚는 사람
노래를 부르는 사람

이 물가 외로운 밤이면
별은 고요히 물 위에 내리고
숲은 말없이 잠드나니

행(幸)여 백조(白鳥)가 오는 날
이 물가 어지러울까
나는 밤마다 꿈을 덮노라.

김광섭(金珖燮) 시인의 시 「마음」이다. 이 시인은 정밀(靜謐)한 고요를 누리고자 하지만 주변이 요란함으로 걱정된다는 내용이다. 여기에서 "고요한 물결"은 원관념(元觀念)이 아니고, 보이지 않는 마음을 나타내기 위한 보조관념(補助觀念)이다. 꼴이 보이는 이 보조 관념에 의해서 마음의 상태를 실감하게 감지할 수 있게 된다.

시에 있어서 표현하고자 하는 원관념을 효과적으로 드러내기 위해서 보조관념을 차용, 유추한다. 유추란 어떠한 사실을 근거로 하여, 그것과 같은 조건 아래에 있는 다른 사실을 미루어 헤아리는 것을 가리킨다.

바다와 나비

김기림

아무도 그에게 수심(水深)을 일러준 일이 없기에
흰나비는 도무지 바다가 무섭지 않다.

청(靑)무우 밭인가 해서 내려갔다가는
어린 날개가 물결에 절어서
공주(公主)처럼 지쳐서 돌아온다.

삼월(三月)달 바다가 꽃이 피지 않아서 서글픈
나비 허리에 새파란 초승달이 시리다.

시와 소설, 문학 작품에서 나비가 대두되는 경우는 대개 연약한 인물을 상징한다. 이 시에서도 역시 세상 물정 모르고 나갔다가 죽을 뻔했다가 돌아온 나약한 생명체로 그려지고 있다.

김기림(金起林) 시인의 이 시(바다와 나비)는 모더니즘의 영향으로 감각적 이미지를 신선하게 살려냈다. 나비는 바다 깊이를 알지 못하면서도 겁도 없이 나섰다가 지쳐서 돌아오는 것은 낭만주의 성격도 내비친다.

모더니즘 계열의 시인들은 회화적 이미지를 살려서 감각적 효과를 거두는 장점이 있는가 하면, 역사나 철학이 미약한 면도 있다.

길

김기림

나의 소년 시절은 은(銀)빛 바다가 엿보이는 그 긴 언덕길을 어머니의 상여(喪輿)와 함께 꼬부라져 돌아갔다.

내 첫사랑도 그 길 위에서 조약돌처럼 집었다가 조약돌처럼 잃어버렸다.

그래서 나는 푸른 하늘빛에 혼자 때 없이 그 길을 넘어 강(江)가로 내려갔다가도 노을에 함뿍 자줏빛으로 젖어서 돌아오곤 했다.

그 강(江)가에는 봄이, 여름이, 가을이, 겨울이 나의 나이와 함께 여러 번 다녀갔다. 까마귀도 날아가고 두루미도 떠나간 다음에는 누런 모래둔과 그리고 어두운 내 마음이 남아서 몸서리쳤다. 그런 날은 항용 감기를 만나서 돌아와 앓았다.

할아버지도 언제 낳은지를 모른다는 동구 밖 그 늙은 버드나무 밑에서 나는 지금도 돌아오지 않는 어머니, 돌아오지 않는 계집애, 돌아오지 않는 이야기가 돌아올 것만 같아 멍하니 기다려 본다. 그러면 어느새 어둠이 기어 나와 내 뺨의 얼룩을 씻어 준다.

📖 시작노트

이 시(길)는 소년 시절에 바다가 보이는 언덕길에서 시작된다. 어머니의 상여를 따라가는 영이별(永離別)의 길이다. 가장 슬픈 길인데, 그 배경은 은빛 찬란한 바다다. 가장 아름다운 곳에서 가장 소중한 어머니를 7세 소년이 보냈다.

그 아름다운 길에서 첫사랑도 잃고, 세월도 강물도 새들도 모두 떠나고, 나의 곁에는 늙은 버드나무뿐이다. 모두 떠나고 어릴 때 나를 지켜본 버드나무에 친밀감을 느끼면서 추억하지만, 결국은 망부석처럼 서 있는 나의 눈물을 어둠이 기어와 닦아준다는 얘기다. 어둠이란 정서가 풍부하므로 위로가 되는 요소도 있다.

설야雪夜

김광균

어느 머언 곳의 그리운 소식이기에
이 한밤 소리 없이 흩날리느뇨.

처마 끝에 호롱불 여위어가며
서글픈 옛 자취인양 흰 눈이 내려

하이얀 입김 절로 가슴이 메어
마음 허공에 등불을 켜고
내 홀로 밤 깊어 뜰에 내리면

머언 곳에 여인의 옷 벗는 소리.

희미한 눈발
이는 어느 잃어진 추억의 조각이기에

싸늘한 추회(追悔) 이리 가쁘게 설레이느뇨.

한 줄기 빛도 향기도 없이
호올로 차단한 의상(衣裳)을 하고
흰 눈은 내려 내려서 쌓여
내 슬픔 그 위에 고이 서리다.

 시작노트

　김광균(金光均) 시인의 이 시(설야)는 『조선일보』 신춘문예(1938.
1) 당선작인 동시에 대표작 중의 하나다. 여기에서 "먼 곳에 여인의
옷 벗는 소리"는 고요함의 극치라 하겠다. 먼 곳에서 여인이 옷을
벗는 소리가 들릴 리 만무하다. 그런데도 그 소리가 들린다고 표현
했다. 지극한 고요함을 나타내기 위해서 생산적(창조적) 상상력을
통하여 들릴 리 없는 소리의 극치를 창조한 것이다.

　사실이나 현실적으로는 말이 되지 않는 말이다. 현실적으로 말
이 되지 않는 말이 시에서는 어찌하여 말이 되는가. 시어(詩語)는 실

용적 언어가 아니기 때문이다. 황진이의 시조(동짓달 기나긴 밤을)
막스 다우텐다이의 시(「멧새」-멧새가 해를 따먹어서)는 실용이나
현실성이 전혀 없는 데도 훌륭한 시로 인정하는 까닭은 시란 현실의
식을 초월한 영혼의 양식이기 때문이다. 시는 실용언어가 아니고
신비 언어이므로 시작품에서는 사실 여부가 중요하지 않다.

　이 시에서는 한밤에 소리 없이 내리는 눈을 보며 기억의 잔상이
겹치는 영상을 유추한다. 고요한 밤에 눈이 내려서 쌓이는 정경과
고요한 밤에 여인이 옷을 벗는 정경이 마치 한 몸처럼 겹치는 연상
작용을 이끌어 낸다. 그리고 나머지 감상과 이해는 독자의 몫이다.

　안개처럼 가려서 불분명한 언어로 은폐하였으므로 아름다움을
추구하는 시인이나 독자는 상상력을 부풀려서 확대 재생산하기도
한다. 그래서 아름다운 시는 분명한 '왜'가 아니라 '어쩐지'의 영상
이라 하겠다.

추일서정秋日抒情

김광균

낙엽(落葉)은 폴란드 망명정부의 지폐(紙幣)

포화(砲火)에 이지러진

도룬 시(市)의 가을 하늘을 생각하게 한다.

길은 한 줄기 구겨진 넥타이처럼 풀어져

일광(日光)의 폭포(瀑布) 속으로 사라지고

조그만 담배 연기를 내뿜으며

새벽 두 시의 급행차(急行車)가 들을 달린다.

포플라나무의 근골(筋骨) 사이로

공장의 지붕은 흰 이빨을 드러내인 채

한 가닥 구부러진 철책(鐵柵)이 바람에 나부끼고

그 위에 셀로판지(紙)로 만든 구름이 하나.

자욱한 풀벌레 소리 발길로 차며

호올로 황량(荒凉)한 생각 버릴 곳 없어

허공에 띄우는 돌팔매 하나.

기울어진 풍경의 장막(帳幕) 저쪽에
고독한 반원(半圓)을 긋고 잠기어 간다.

이 시 「추일서정(秋日抒情)」은 『인문평론』(1940. 7)에 발표한 작품
이다. 김광균 시인의 대표작 중의 하나로서 모더니즘 시의 본보기
로 꼽히는 작품이다. 그림을 보여주듯이, 회화적 표현을 통해서 이
미지를 선명하게 드러냈기 때문이다. 여기에서는 '낙엽 → 지폐',
'길 → 구겨진 넥타이'. '구름 → 셀로판지' 등을 통해서 이미지의 효
용을 이해하게 된다.

보통 일반적으로 "낙엽이 쌓였다"거나 "가랑잎이 바람에 날린
다"는 표현은 흔하게 쓰여도 "낙엽은 폴란드 망명정부의 지폐"라
고 표현하는 경우는 흔치 않다. '낙엽'과 '지폐'는 엉뚱하다. 더군다
나 '폴란드 망명정부의 지폐'는 더욱 엉뚱하다. 어째서 "낙엽은 폴
란드 망명정부의 지폐"인가. 이 시인은 이질적인 두 사물 가운데 동
질적인 요소를 찾아낸 것이다.

흩어진 낙엽이나 쓸모없이 버려진 지폐, 이 두 성격의 사물에서
상사성(相似性)을 발견한 것이다. 이것은 현대시가 보여준 새로운
이미지의 창출이다. 조각가가 흙으로 조각하는 경우는 흔히 있는
일이다. 그러나 철이나 동을 녹여서 마치 커다란 새알이 터져서 액
체(흰자)가 느릇느릇 흘러내리게 표현하기란 쉬운 일이 아니다. 이
시도 여기에 비견할 수 있겠다.

승무(僧舞)

조지훈

얇은 사(紗) 하이얀 고깔은
고이 접어서 나빌레라.

파르라니 깎은 머리
박사(薄紗) 고깔에 감추오고,

두 볼에 흐르는 빛이
정작으로 고와서 서러워라.

빈 대(臺)에 황촉(黃燭)불이 말없이 녹는 밤에
오동잎 잎새마다 달이 지는데,

소매는 길어서 하늘은 넓고
돌아설 듯 날아가며 사뿐히 접어 올린 외씨보선이여!

까만 눈동자 살포시 들어

먼 하늘 한 개 별빛에 모두오고

복사꽃 고운 뺨에 아롱질 듯 두 방울이야

세사(世事)에 시달려도 번뇌(煩惱)는 별빛이라.

휘어져 감기우고 다시 접어 뻗는 손이

깊은 마음속 거룩한 합장(合掌)인 양하고,

이 밤사 귀또리도 지새는 삼경(三更)인데,

얇은 사(紗) 하이얀 고깔은 고이 접어서 나빌레라.

이 시(승무)는 여승의 춤사위를 통하여 세속적 번뇌를 아름다운 선미(禪美)로 승화한 명작이다. 여기에서는 인생의 번뇌를 초극하고자 하는 구도적 자세를 보이고 있다. 이 시는 승무라는 표면의 섬세한 동작과 연결된 사물을 통해서 수행자의 내면세계까지 넌지시 들여다 볼 수 있도록 제시하고 있다.

조지훈(趙芝薰) 시인의 이 시는 아날로지(analogy), 즉 상사성(相似性)의 혜안으로 유추하고 있음을 알 수 있다. '고깔'과 '나비'는 서로 다른 사물이지만, 이 시인은 서로 비슷한 점, 서로 닮은 상사성에서 공통점을 발견하여 자연스럽게 표현하고 있다. 여기서 '파르라니 깎은 머리'와 '고깔'의 내력을 알게 되면 '고깔'과 '나비'의 상징적 관계는 더욱 슬픈 아이러니를 암시하게 된다.

백석의 시 「여승」의 마지막 구절은 「승무」를 이해하는 데 도움이 될 것이다

"산 절의 마당귀에 여인의 머리오리가 눈물방울과 같이 떨어진 날이 있었다."

완화삼玩花衫

조지훈

차운산 바위 위에 하늘은 멀어
산새가 구슬피 울음 운다.

구름 흘러가는
물길은 七百里

나그네 긴 소매 꽃잎에 젖어
술 익은 강마을 저녁노을이여.

이 밤 자면 저 마을에
꽃은 지리라

다정하고 한 많음도 병인양하여
달빛 아래 고요히 흔들리며 가노니……

청록파 시인 중의 한 사람인 조지훈 시인의 이 시는 「완화삼(玩花衫)」이라는 제목에 '木月에게'라는 부제가 붙어 있다. 이는 지훈이 목월에게 선사한 시라는 뜻이다. 조지훈의 이 「완화삼」이라는 시를 받아 읽은 박목월 시인은 이 시가 동기가 되어 한 편의 시를 지어 조지훈 시인에게 선사했으니, 그 시가 유명한 「나그네」다.

청노루

박목월

머언 산 청운사(靑雲寺)
낡은 기와 집

산은 자하산(紫霞山)
봄눈 녹으면
느릅나무
속잎 피어가는 열두 구비를

청노루
맑은 눈에
도는
구름

　박목월(朴木月) 시인의 초기 시세계를 대표하는 작품일 뿐 아니라 '청록파(靑鹿派)'나 『청록집(靑鹿集)』의 이름을 붙이는 데 사용될 정도로 막대한 영향을 미친 작품이다. 이 시는 동물인 노루에 '청靑' 색깔을 주어 의미를 격상시켰으며, 마치 한 폭의 동양화를 보는 듯한 고도의 미감과 세련미를 보여주고 있다.

　이 시는 환상의 세계, 고색창연한 고적감을 지닌 한 폭의 동양화라 하겠다. 이 시에서의 고도의 생략법은 집중감을 줄뿐 아니라 긴축된 시어로서 효과를 가져오는데, 이는 박목월 시인이 애초에 동시에서 출발한 체질을 간과할 수 없다.

　즉 그는 1933년 윤석중 편집의 『어린이』 잡지에 동시 「통딱딱 통딱딱」이 특선하였고, 같은 해에 동요 「제비맞이」(『신가정』, 1933.6)가 당선된 이후 많은 동시를 썼기 때문이다. 이러한 동심 어린 언어의 긴축과 간결성은 그의 대표작 중의 하나인 「나그네」도 마찬가지다.

나그네

박목월

강江나루 건너서
밀밭 길을

구름에 달 가듯이
가는 나그네

길은 외줄기
남도(南道) 삼백 리

술 익는 마을마다
타는 저녁놀

구름에 달 가듯이
가는 나그네.

　　박목월을 추천하면서 그 선자(選者)는 "북에는 소월(素月)이 있거
니와 남에는 목월(木月)이 날 만하다……요적(謠的) 수사를 충분히
정리하고 나면, 목월의 시가 바로 한국시다"고 하였다 한다. 이 말
은 '남도의 소월'로 불리운 김영랑(金永郎)의 존재와 함께 그의 시세
계를 이해하는데 중요한 참고가 될 것이다.

　　이 시에서는 그야말로 유유자적(悠悠自適)하고 행운유수(行雲流水)
라는 서정이 짙게 풍기고 있다. 풍요로우면서도 우아하다.

청산도靑山道

박두진

산아. 우뚝 솟은 푸른 산아. 철철철 흐르는 짙푸른 산아. 숱
한 나무들 무성히 무성히 우거진 산마루에 금빛 기름진 햇살
은 내려오고 둥둥 산을 넘어 흰구름 걷는 자리 씻기는 하늘 사
슴도 안 오고 바람도 안 불고 너멋골 골짜기서 울어오는 뻐꾸
기……

산아, 푸른 산아. 내 가슴 향기로운 풀밭에 엎드리면 나는
가슴이 울어라. 흐르는 골짜기 스며드는 물소리에 내사 졸졸
졸 가슴이 울어라. 아득히 가버린 것 잊어버린 하늘과 아른아
른 오지 않는 보고 싶은 하늘에 어쩌면 만나도 귓볼이 고운 사
람이 난 혼자 그리워라 가슴으로 그리워라.

티끌 부는 세상에도 벌레 같은 세상에도 눈 밝은 가슴 맑은
보고지운 나의 사람 달밤이나 새벽녘 홀로 서서 눈물어린 볼
이 고운 나의 사람 달밤이나 새벽녘 홀로 서서 눈물 어린 볼이
고운 나의 사람 밤 가고 밤 가고 눈물도 가고 티어올 밝은 하늘
빛난 아침 이르면 향기로운 이슬밭 푸른 언덕을 총총총 달려

와 줄 볼이 고운 나의 사람.

　푸른 산 한나절 구름은 가고 고을 넘어 고을 넘어 뻐꾸기는 우는데 눈에 흘러가는 물결 같은 사람 속 아우성쳐 흘러가는 물결 같은 사람 속에 난 그리노라. 너만 그리노라. 혼자서 철도 없이 난 너만 그리노라.

시작노트

　박두진(朴斗鎭) 시인의 시 「청산도(靑山道)」는 굴광성식물(屈光性植物)을 연상하게 한다. 굴광성식물은 그 줄기라든지 이파리가 빛을 향하여 뻗어 나가는 성질을 지닌다. 일제의 침탈로 질곡(桎梏)에 묶인 조선인들은 빛을 향하여 줄기차게 뻗어 나가고자 했다. 절망 가운데 희망을 가지려는 것이다.

　이 시의 1연은 향일성(向日性)을 그린 양(陽)이라면, 2연은 나무의 뿌리처럼 땅속으로 파고드는 음(陰)으로 여겨진다. 3연은 "새벽녘"과 "빛난 아침" "밝은 하늘"이 대세를 이루면서도 "달밤"이라는 그늘이 섞여 있으나, 결말에서는 '그리움'으로 집약하여 표현하고 있다.

　여기에 등장한 "물결 같은 사람"이라는 그리움의 대상은, 연인일 수도 있고 조국(모국)일 수도 있다. 언어란, 특히 시어(詩語)란 민족공동체의 얼이 담긴 약속이다. 독자는 '왜?' 하고 확인하려 하지 말고 '어쩐지'라는 느낌을 중시하는 게 상책이다. 시는 합리성과 실증성을 중요시하는 학문이 아니라 문학예술이기 때문이다. 정지용 시인은 박두진 시인에 대해 말하기를 "혜산(兮山)의 새로운 자연의 발견은 삼림에서 풍기는 식물성의 체취를 풍겨 어떤 법열 같은 것을 느끼게 하는 경지를 보여 주었다."고 했다.

강강술래

이동주

여울에 몰린 은어 떼.

삐비꽃 손들이 둘레를 짜면
달무리가 비잉빙 돈다.

가아웅 가아웅 수우워얼래애
목을 빼면 설움이 솟고……

백장미 밭에
공작이 취했다.

뛰자 뛰자 뛰어나 보자
강강술래.

뇌누리에 테이프가 감긴다.

열 두 발 상모가 마구 돈다.

달빛이 배이면 술보다 독한 것

기폭이 찢어진다.

갈대가 쓰러진다.

강강술래

강강술래

시작노트

　이동주(李東柱) 시인의 이 시(강강술래)는 우리 민속무용인 '강강
술래'를 제재로 표현한 작품이다. 이동주 시인의 대표작이기도 한
이 시는 시각적 회화성과 청각적 음향의식을 복합적 이미지로 전
개하여 전통적 고전미를 생동감 있게 표현한 작품이다.

　여기에서는 '은어 떼'와 '삐비 꽃 손들', '달무리' 등이 시각적 색
채의식을 도출한다면, "가아옹 가아옹 수우워얼래애"와 '강강술
래'는 속도감의 완급(緩急)으로서 청각적 음향의식의 효과음을 보
인다.

　여기에 나오는 '뇌누리'는 '물살'의 옛말이다.

두만강

김규동

얼음이 하도 단단하여

아이들은 / 스케이트를 못 타고 / 썰매를 탔다.

얼음장 위에 모닥불을 피워도

녹지 않는 겨울 강

밤이면 어둔 하늘에

몇 발의 총성이 울리고

강 건너 마을에서

개 짖는 소리 멀리 들려왔다.

우리 독립군은 / 이런 밤에

국경을 넘는다 했다.

때로 가슴을 가르는 / 섬뜩한 파괴음은

긴장을 못 이긴 강심 갈라지는 소리

이런 밤에

나운규는 「아리랑」을 썼고

털모자 눌러쓴 독립군은

수많은 일본군과 싸웠다.

지금 두만강엔

옛 아이들 노는 소리 남아 있을까.

강 건너 개 짖는 소리 아직 남아 있을까.

통일이 오면 / 할 일도 많지만

두만강 찾아 한번 목놓아 울고 나서

흰머리 날리며 / 씽씽 썰매를 타련다.

어린 시절에 타던

신나는 썰매를 한번 타보련다.

 시작노트

　김규동(金奎東) 시인은 김기림 시인의 제자로서 모더니즘의 영향
을 받았다. 후반기 모더니즘 그룹에 참가하여 박인환, 김수영 시인
등과 친교를 맺으면서 역사적 모더니즘에 대한 관심을 강화했다.
1970년대 초부터 문학의 사회적 유용성을 주장하면서 민주회복 운
동에도 참여하였다.

　신석정 시인은 작품으로 참여해야 한다고 했다. 자연 관조의 시
를 쓰건, 사회 참여의 시를 쓰건 상관이 없는데, 결국은 시다운 시,
작품다운 작품이 되어야 한다는 말로 귀결된다.

물 끓는 소리

신동춘

주전자의 물이 끓는다.
싸늘하게 식어가는 하루의 체온을 데우는 소리
빈 들에서 이삭을 줍다가
미궁(迷宮)에서 너를 찾아 헤매다가
문득 뒤돌아보고 싶어질 때 되살아오는 소리
에밀리 디킨슨의 잠을 깨우는 소리

자정(子正)이 넘은 교수실에서
에밀리 디킨슨이 책갈피를 떠나온다.
황제(皇帝)에게도 무릎을 꿇지 말자더니
기둥 뒤에 숨어서 시만 쓰더니
그녀가 이 밤
활짝 갠 웃음을 웃으며 내게로 온다.

한 모금의 훈기를 위해

단 한 번의 우연을 기다리며 물을 끓일 때

우리는 홀로 있어도 혼자가 아니다.

 시작노트

　'시문학상' 수상작품이기도 한 이 시는 여류시인이면서 대학교
수이기도 한 지은이의 심회가 여실히 드러난 작품이다. 자정이 넘
은 교수실에서 한 모금의 훈기를 위해 주전자의 물을 끓이며 우연
을 기다리는 고독이 미국의 여류시인 에밀리 디킨슨을 닮았다는
생각이 든다. 자정이 넘은 교수실의 정밀한 분위기와 여류시인의
창연한 심리가 가감 없이 표현되고 있다.

시詩를 말하는 염소

- 자화상

엄한정

검은 소든지 곰이기를 원하지만 남들이 나를 염소라고 부른다. 고대신선도(古代神仙圖) 속 깊은 산자락 바위 위에서 부스스잠깐 일어나서 온 것 같은 염소 시(詩)를 말하는 염소. 그 풍류(風流)는 뙤약볕을 등때기에 쬐는 것과 매캐한 저녁연기 냄새를 맡는 것들이다.

가뭄 끝에 모내는 날, 칠공주(七公主)에다 비로소 손자를 보는할머니는 어미젖이 적을지 걱정이다. 어머니는 모주(母酒)를자시고, 아기는 모주로 고인 젖을 빨았다. 외지(外地)에 나갔다가 집에 돌아오는 아버지는 삼십 리를 참고 걸어서 당신 전답(田畓)에 오줌을 누었다.

모주로 자란 아이는 순 식물성이었다. 음력(陰曆)을 닮아 그늘과 고요한 쪽에만 빠져들고, 생살을 씹는 짐승들을 무서워한다. 한쪽 어깨만 요때기에 조금 기대고 동지섣달을 살아온 세월. 농사일 놓은 지 수삼 년이 되어도 남들이 촌놈이라 한다. 토담집에 바깥 부엌을 쓰는 내 집은 서울의 시골이란다. 그들은 내 이마에서 개울을 보며, 육성(肉聲)에서 풀냄새를 맡으며 또, 이삼천일(二·三千日)은 한 몇 분(分)쯤으로 알고 사는 염소를 보는 것을 달가워한다.

📖 시작노트

엄한정(嚴漢晶) 시인의 이 시(시를 말하는 염소)는 『엄한정시전집』에 수록된 작품이다. 이 시인의 아호가 염소(念少)인 것은, 서정주 시인이 엄한정 시인을 가리켜 염소를 닮았다고 지어준 호다. 엄한정 시인은 서라벌예술대학과 성균관대학교를 졸업한 후 1963년에 『아동문학』(박목월 추천)지와 『현대문학』(서정주 추천)지로 등단하였다. 교직 40년에 문단 60년이라는 왕성한 활동을 보였으나, 그 연조에 비하면 과작(寡作)인 편이다.

새우와의 만남

문정희

손에 쥔 칼을 슬며시 내려놓는다.
선뜻 그에게 칼을 댈 수가 없었다.
파리로 가는 비행기 안 기내식 속에
그는 분홍 반달로 누워 있었다.
땅에서 나고 자란 내가
바다에서 나고 자란 그대와
하늘 한가운데 3만 5천 피트
짙푸른 은하수 안에서 만난 것은
오늘이 칠월 칠석이어서가 아니라
그대의 그리움과 나의 간절함이
사람의 눈에 잘 안 보이는
구름 같은 인연의 실들을 풀고 풀어서
드디어 이렇게 만난 것이다.
나는 끝내 칼과 삼지창을 대지 못하고

내가 가진 것 중 가장 부드럽고 뜨거운

나의 입술을 그대의 알몸에 갖다 대었다.

내 사랑 견우여.

이 시는 창조적(생산적) 상상력의 소산이다. 지은이는 파리로 가는 비행기 안에서 기내식을 하려다가 반달처럼 누워있는 새우를 보게 된다. 시인이 새우를 보는 순간 문득 떠오른 착상, 그것은 하늘 한가운데 3만5천 피트 고공(高空)에서 새우와의 만남은 특별한 의미가 있을 것이라는 예감이다.

하늘나라에서 견우와 직녀가 만난다고 하는 설화를 차용하는 데서부터 구체적 형상화는 이루어진다. 여기에 불교의 윤회 환생설까지 가미하여 상상은 변화하고, 확대하며, 심화한다. 상상(想像)을 통한 유추(類推)로 인해서 선뜻 그(새우)에게 칼을 댈 수가 없게된다.

하늘나라 은하수 속에 있음직한 견우(牽牛)와 직녀(織女) 설화를 끌어들여서 시로 재구성(再構成)하기에 이른다. 여기에서는 인연설(因緣說)이 한 몫을 한다. 뛰어난 상상력이 놀랍다. 시인은 새우가 연인(戀人)일 수도 있겠다는 불교적 인연설을 활용한다. 적절한 시어(詩語) 선택과 조립능력(組立能力)이 능숙하다.

먹는 자와 먹히는 자를 단순한 식사의 약육강식(弱肉强食)을 지나서 견우와 직녀 같은 연인관계로 보았다는 것은 창조적 상상의 소산이다. 그러니 선뜻 칼을 댈 수가 없다는 것이다. 기발한 상상력의 발상이 아니고는 이러한 시가 탄생할 수 없다.

정의감으로 큰 기운을 기른다

님의 침묵

한용운

님은 갔습니다. 아아, 사랑하는 나의 님은 갔습니다.

푸른 산빛을 깨치고 단풍나무 숲을 향하여 난 작은 길을 걸어서 차마 떨치고 갔습니다.

황금의 꽃같이 굳고 빛나던 옛 맹세는 차디찬 티끌이 되어서 한숨의 미풍에 날아갔습니다.

날카로운 첫 키스의 추억은 나의 운명의 지침(指針)을 돌려놓고 뒷걸음쳐서 사라졌습니다.

나는 향기로운 님의 말소리에 귀먹고 꽃다운 님의 얼굴에 눈멀었습니다.

사랑도 사람의 일이라 만날 때에 미리 떠날 것을 염려하고 경계하지 아니한 것은 아니지만, 이별은 뜻밖의 일이 되고 놀란 가슴은 새로운 슬픔에 터집니다.

그러나 이별은 쓸데없는 눈물의 원천을 만들고 마는 것은 스스로 사랑을 깨치는 것인 줄 아는 까닭에, 걷잡을 수 없는 슬픔의 힘을 옮겨서 새 희망의 정수박이에 들어부었습니다.

우리는 만날 때에 떠날 것을 염려하는 것과 같이 떠날 때에 다시 만날 것을 믿습니다.

아아, 님은 갔지마는 나는 님을 보내지 아니하였습니다.

제 곡조를 못 이기는 사랑의 노래는 님의 침묵을 휩싸고 돕니다.

시작노트

한용운(韓龍雲) 시인에 있어서의 '님'은 반드시 있어야 하는 절대 존재다. 그런데, 그의 현실은 떠나간 님, 상실한 님이다. 여기에서 그의 극복 의지, 초월 의지는 있어야 하는 당위론적 존재의 님을 말한다. 그는 현실 그 이상의 세계를 추구한다. 앞을 내다보면서 보이지 않는 세계를 감지하는 종교적 차원의 상상력의 안테나를 드리우고 있음을 알 수 있다.

한용운의 님은 복합적인 님이다. 자기를 존재하게 하는 생명의 님인 동시에 보편타당한 진리의 님이다. 역사의 님이 조국이나 민족이라면, 종교의 님은 절대 신앙의 님이다. 그 님은 마음속에 생존하므로 떠날 수도 없고 떠나지도 않는 임이다. 보편적 진리라는 말이 여기에도 동류로 이해된다

한용운은 보이지 않는 세계의 실존을 인지하고 있었기에 현실적 부침에 흔들림 없이 변절하지 않고 자기 존재 위치를 끝까지 지켰다고 본다.

복종服從

한용운

남들은 자유를 사랑한다지마는, 나는 복종을 좋아하여요.
자유를 모르는 것은 아니지만, 당신에게는 복종만 하고 싶어요.
복종하고 싶은데 복종하는 것은 아름다운 자유보다도 달콤
합니다. 그것이 나의 행복입니다.

그러나, 당신이 나더러 다른 사람에 복종하라면, 그것만은 복
종할 수가 없습니다.
다른 사람을 복종하려면 당신에게 복종할 수 없는 까닭입니다.

-시집 『님의 침묵』(1926)

종교에 있어서 '님'은 절대적 관계에 있다. '님'으로 불리는 절대 존재는 주체의 입장이고, 그를 부르는 시인은 대상의 위치에 있다. 에너지의 본체라고 말할 수 있는 절대 존재는 모든 대상에게 생명과 사랑을 베푼다. 그리고 대상은 주체에게 아름다움을 돌려드린다.

가령 김여정 시인의 시 「고백성사」 마지막 구절은 "성긴 빗방울이 되어 바다로 향해 떨어지게 허락하소서"인데, 이는 사람과 신과 하나 되는 관계를 의미한다. 신부나 수녀, 스님들은 이런 관계에 있다. 신락(神樂)이나 법열(法悅)은 이런 관계를 의미한다. 그러니까 한용운 시인의 시 「복종」은 절대가치로서의 '복종'을 의미한다.

이를 다른 말로 하자면 순명(順命)이나 순예(殉愛)의 뜻과 상통할 것이다. 여기에서의 '복종'이란, 대상의 처지에서는 자기를 이 세상에 존재하게 한 에너지의 본체라 할까, 절대 존재와 하나 되기 위한 아름다운 복종이 아닐 수 없다. 한용운은 "복종하는 것은 아름다운 자유보다도 달콤합니다."라고 썼는데, 그 '복종'에서 얻어지는 것은 '법열'이기 때문이다.

논개論介

변영로

거룩한 분노(憤怒)는
종교(宗敎)보다도 깊고
불붙는 정열(情熱)은
사랑보다도 강하다.
아, 강낭콩꽃보다도 더 푸른
그 물결 위에
양귀비꽃보다도 더 붉은
그 마음 흘러라.

아리땁던 그 아미(蛾眉)
높게 흔들리우며
그 석류(石榴) 속 같은 입술
죽음을 입맞추었네!
아, 강낭콩꽃보다도 더 푸른

그 물결 위에
양귀비꽃보다도 더 붉은
그 마음 흘러라.
흐르는 강물은

길이길이 푸르리니
그대의 꽃다운 혼
어이 아니 붉으랴.

아, 강낭콩꽃보다도 더 푸른
그 물결 위에
양귀비꽃보다도 더 붉은
그 마음 흘러라.

변영로(卞榮魯) 시인의 이 시(논개)는 논개(論介)가 진주 남강에서 왜장(倭將) '게다니(土谷村六助)를 껴안고 강물에 뛰어들어 투신한 그 불타는 우국충절(憂國忠節)을 읊은 작품이다. 여기에서는 직유법을 쓰면서도 은유 이상의 효과를 거둔 것은 적절한 언어 선택과 정확히 활용하는 언어의 조립능력에 있다.

논개를 그리는 데 있어서 죽음에 입 맞춘 "석류 속 같은 입술"이라든지, "양귀비꽃보다도 더 붉은 마음" 등은 놀랄만치 적절한 표현이다. 종교 이상 거룩한 게 없는데, 논개의 분노가 그 이상이라니 그 이상의 찬사가 없다. 또 사랑보다 강한 게 없는데, 논개의 불타는 정열이 그 이상이라니 이런 찬양이 없다.

이 시에서 반복적으로 나오는 강낭콩과 양귀비꽃, 푸른 강물과 붉은 석류 속 등의 대조적 사물을 적절히 선택 배합하여 효과적으로 운치 있는 절창을 이룬다. 이 절묘한 절창은 후렴구 같은 강낭콩 같은 물결과 양귀비꽃 같은 붉은 마음을 반복해도 싫지 않고 감동으로 다가온다.

빼앗긴 들에도 봄은 오는가

이상화

지금은 남의 땅 - 빼앗긴 들에도 봄은 오는가?

나는 온몸에 햇살을 받고

푸른 하늘 푸른 들이 맞붙은 곳으로

가르마 같은 논길을 따라 꿈속을 가듯 걸어만 간다.

입술을 다문 하늘아 들아,

내 맘에는 내 혼자 온 것 같지를 않구나!

네가 끌었느냐, 누가 부르더냐, 답답워라, 말을 해다오.

바람은 내 귀에 속삭이며

한 자국도 섰지 마라, 옷자락을 흔들고

종다리는 울타리 너머 아씨같이 구름 뒤에서 반갑게 웃네.

고맙게 잘 자란 보리밭아

간밤 자정이 넘어 내리던 고운 비로

너는 삼단 같은 머리털을 감았구나, 내 머리조차 가뿐하다.

혼자라도 가쁘게 나가자.

마른 논을 안고 도는 착한 도랑이

젖먹이 달래는 노래를 하고, 제 혼자 어깨춤만 추고 가네.

나비 제비야 깝치지 마라.

맨드라미 들마꽃에도 인사를 해야지.

아주까리 기름을 바른 이가 지심매던 그 들이라 다 보고 싶다.

내 손에 호미를 쥐어다오

살진 젖가슴과 같은 부드러운 이 흙을

발목이 시도록 밟아도 보고, 좋은 땀조차 흘리고 싶다

강가에 나온 아이와 같이,

짬도 모르고 끝도 없이 닫는 내 혼(魂)아

무엇을 찾느냐? 어디로 가느냐, 우습다, 답을 하려무나.

나는 온몸에 풋내를 띠고,

푸른 웃음, 푸른 설움이 어우러진 사이로

다리를 절며 하루를 걷는다. 아마도 봄신령이 지폈나보다.

그러나, 지금은 - 들을 빼앗겨 봄조차 빼앗기겠네.

천도교에서 창간한 월간 종합잡지『개벽(開闢)』(70호, 1926. 6)에 발표한 이 시(빼앗긴 들에도 봄은 오는가)는 이상화 시인의 대표작일 뿐 아니라, 1920년대에 거의 유일한 항일 저항시(抵抗詩)로써 우리나라 근대시사(近代詩史)에 확실한 선을 그은 작품이다.

이 시는 비탄(悲嘆)에 젖은 피해자의 피침성(被侵性)이 자조적이고 회의적이며, 영탄적이다가도 애탄(哀歎)에서 저항적인 의지를 내비치는데, 그 당시 일제의 강압에 의한 암담한 민족적 현실을 감안하면 이해하는 데 도움이 될 것이다.

일제의 침략에 의해 좌절할 수밖에 없는 절망적인 사회 현실에서도 자기 위치를 확보하여 저항적인 주제로 응축시켜 표현함으로써 일제에 항거한 최강의 저항 시인이라는 명예를 획득하게 되었다.

'지금은 들을 빼앗겨 봄조차 빼앗기겠네'로 귀결함으로써 민족에 마지막으로 남아 있는 자연과 민족혼까지 빼앗길 것 같은 위기감을 드러내고 있다. 여기에서는 향토정서를 환기하는 토속어의 표현을 자주 씀으로 민족 공동체의 얼을 은연중에 상기하게 한다.

이상화(李相和) 시인은 1901년 대구에서 태어났다. 4세 때 아버지를 잃고 어머니와 백부의 감화 훈도로 자랐다. 3·1운동 때엔 대구에서 거사하려다 실패했고, 백조 동인(1922)이 되어 시를 발표했다. 그의 대표작「빼앗긴 들에도 봄은 오는가」를 발표, 민족의식을 배경으로 한 향토적인 이미지의 작품을 남겼다.

광야曠野

이육사

까마득한 날에
하늘이 처음 열리고
어디 닭 우는 소리 들렸으랴.

모든 산맥들이
바다를 연모(戀慕)해 휘달릴 때도
차마 이곳을 범하던 못하였으리라.

끊임없는 광음(光陰)을
부지런한 계절이 피어선 지고
큰 강물이 비로소 길을 열었다.

지금 눈 내리고
매화 향기 홀로 아득하니

내 여기 가난한 노래의 씨를 뿌려라.

다시 천고(千古)의 뒤에
백마 타고 오는 초인(超人)이 있어
이 광야에서 목놓아 부르게 하리라.

 시작노트

　이육사(李陸史) 시인의 이 시(광야)는 대표적 저항시로 꼽히는 작품이다. 5연 15행으로 이루어진 이 「광야曠野」는 아득한 옛날 천지개벽 당시 아무도 없을 때부터 원시성을 지닌 조국의 터전을 상정하고 있다.

　개벽과 태초, 태고의 시간으로써 구원한 민족의 신성한 터전을 제시하고 있다. 지금은 눈이 내리는 겨울로써 고대하는 매화 향기의 계절은 아직 멀어 봄이 어서 오도록 노래의 씨를 뿌리겠다는 의지를 내비치고 있다.

　결국은 오랜 세월이 흐른 후 백마 타고 오는 위대한 인물이 나타날 것이니 그로 인해서 그동안 뿌린 노래의 씨를 거두어 웅장한 노래를 부르게 하겠다는 미래의 기대감을 내비치고 있다.

육사는 1933년부터 1941년까지 9년간에 걸쳐 시작품 외에도 논문, 번역, 시나리오, 수필 등을 발표했고, 1936년에서 1940년 사이에 가장 왕성한 활동을 했으나 이 무렵은 건강이 가장 좋지 않은 때여서 신석초(申石艸) 등과 남쪽 지방을 두루 여행, 친구와 술을 벗하며 구국의 일념을 불태우기도 했다.

이 시는 이념과 예술성의 조화를 이룬 작품이다. 그는 초인 정신과 현실 인식에서 지사(志士)의 면모를 보이고 있다. 이 시가 민족시의 정화(精華)라고 한 까닭은 이 시인이 투철한 역사의식으로 조국 광복을 위한 염원을 노래했기 때문이다.

오랑캐꽃*

이용악

아낙도 우두머리도 돌볼 새 없이 갔단다.
도래샘*도 띠집도 버리고 강 건너로 쫓겨갔단다.
고려 장군님 무지무지 쳐들어와
오랑캐는 가랑잎처럼 굴러갔단다.

구름이 모여 골짝 골짝을 구름이 흘러
몇 년이 몇백 년이 뒤를 이어 흘러갔나.

나는 오랑캐의 피 한 방울 받지 않았건만
오랑캐꽃
너는 돌가마*도 털메투리*도 모르는 오랑캐꽃

두 팔로 햇빛을 막아 줄게
울어 보렴 목 놓아 울어나 보렴 오랑캐꽃.

---

* **오랑캐꽃** : 제비꽃을 다른 말로 일컫는 말
* **도래샘** : 빙 돌아서 흐르는 샘물. '도래'는 도랑의 함경도 방언.
* **돌가마** : 백탄(白炭)가마.
* **털메투리** : 털로 만든 미투리. 미투리는 삼 껍질로 짚신처럼 삼은 신.

시작노트

　　일제의 수탈로 북방으로 쫓겨난 유이민의 비극을 상징적 수법으로 표현한 작품이다. 이 시는 '오랑캐꽃'이라는 사물을 통해 비통한 역사적 사연에 대한 연민과 비애를 표현하고 있다. 연약하고 가냘픈 오랑캐꽃의 이미지와 약소민족과의 상사성(相似性)을 부각하고 있다. 이민족의 지배하에 어렵게 생존하며 쫓기는 자의 피침성(被侵性)을 그리고 있다.

　　'오랑캐꽃'으로 일컫는 제비꽃과 오랑캐와의 상사성(相似性)에서 두 사물은 동류로 등치, 표현했다. 이 꽃의 형태가 오랑캐의 머리 모양을 닮았다는 그 상사성에서 등치개념이 확대된다. 일제의 가혹한 탄압으로 인해 비참한 신세로 전락한 피해자에 향하는 연민의 정을 민족이라는 객관적 현실로 확대하고 있다.

두메산골 3

이용악

참나무 불이 이글이글한
오지 화로에 감자 두어 개 묻어 놓고
멀어진 서울을 그리는 것은
도포 걸친 어느 조상이 귀양 와서
일삼든 버릇일까
돌아갈 때엔 당나귀 타고 싶던
여러 영에
눈은 내리는데 눈은 내리는데

향토정서가 물씬 풍기는 작품이다. 현대인은 맛볼 수 없는 토속어로 향수를 살려내고 있다. 여기에서는 '참나무 불' '오지 화로' '감자' '도포' '조상' '귀양' '당나귀' 등의 토속어가 정감을 불러일으키면서도 일정한 온도로 품위를 유지하고 있다.

이용악(李庸岳) 시인은 1914년 함북 경성에서 태어났다. 일본 죠찌대학(上智大學) 신문학과 졸업 후 귀국하여 신문, 잡지 등의 기자 생활을 했다. 그의 대표작은 「오랑캐꽃」「두메산골」「북쪽」등이 있다. 그는 민족의 토속적 정서를 바탕으로 서민들의 애환을 치밀하게 표현했고, 일제의 질곡에서 신음하는 민족의 현실을 서정적으로 표현했다.

서시序詩

윤동주

죽는 날까지 하늘을 우러러
한 점 부끄럼 없기를,
잎새에 이는 바람에도
나는 괴로워했다.
별을 노래하는 마음으로
모든 죽어가는 것을 사랑해야지
그리고 나한테 주어진 길을 걸어가야겠다.

오늘 밤에도 별이 바람에 스치운다.

 시작노트

　시집『하늘과 바람과 별과 시』(1948)에 실려있는 이 시는 종교적
차원의 순교의식이 내비치는 작품이다. 잎새에 이는 바람에도 왜

괴로워했을까. "꺾인 갈대도 마저 꺾지 않는다"는 성경구절이 연상되는 시다. "죽어가는 것을 사랑해야지" 하는 이 말속에 그 시대의 상황과 시인의 심리가 여실히 반영되고 있다. 살아있는 그 생존 자체를 부끄럽게 여기는 박애 사상은 그의 시세계 저류를 관류하는 심정의 지하천이라 하겠다

자화상自畵像

윤동주

산모퉁이를 돌아 논가 외딴 우물을 홀로 찾아가선 가만히 들
여다봅니다.
우물 속에는 달이 밝고 구름이 흐르고 하늘이 펼치고 파아란
바람이 불고 가을이 있습니다.

그리고 한 사나이가 있습니다.
어쩐지 그 사나이가 미워서 돌아갑니다.

돌아가다 생각하니 그 사나이가 가엾어집니다.
도로 가 들여다보니 사나이가 그대로 있습니다.

다시 그 사나이가 미워져 돌아갑니다.
돌아가다 생각하니 그 사나이가 그리워집니다.

우물 속에는 달이 밝고 구름이 흐르고 하늘이 펼치고 파아란
바람이 불고 가을이 있고 추억처럼 사나이가 있습니다.

-시집 『하늘과 바람과 별과 시』(1948)

윤동주(尹東柱) 시인의 이 시에는 자신에 대한 애증(愛憎)을 통하여 식민지 지식인의 슬픔을 연연하게 부각함으로써 심금을 울리고 있다는 점이 놀랍다. 윤동주 시인에게는 두 자아가 존재한다. 용정의 맑은 물을 마시던 그 순진하고 행복한 본래적인 자아와 일제의 침탈로 인해서 조국도 고향도 빼앗긴 채 외지로 떠돌아야 하는 비본래적인 자아다.

그가 미워하는 사나이는 일제의 식민지 백성으로서의 찌그러진 자아를 의미한다면, 돌아가다 생각하니 또 그리워지는 사나이는 본래적인 자아를 의미한다. 이러한 양면성의 진솔한 갈등을 통해서 자기 고백과 자기성숙을 보인다.

허망한 존재의식이라든지, 자아에 대한 내면적 응시와 분열, 일제의 감시를 받는 강박관념과 조국의 광복을 염원한 것이 그의 시의 내용이라면, 이러한 결과로서의 결정체는 용정의 향토정서와 기독교의 순애(殉愛) 정서가 고난을 통해 피어난 예술의 꽃이라 하겠다.

자화상自畫像

서정주

애비는 종이었다. 밤이 깊어도 오지 않았다.

파 뿌리 같이 늙은 할머니와 대추꽃이 한 주 서 있을 뿐이었다.

어매는 달을 두고 풋살구가 꼭 하나만 먹고 싶다 하였으

나……흙으로 바람벽한 호롱불 밑에

손톱이 까만 에미의 아들.

갑오년(甲午年)이라든가 바다에 나가서는 돌아오지 않는다 하

는 외할아버지의 숱 많은 머리털과

그 커다란 눈이 나는 닮았다 한다.

스물세 해 동안 나를 키운 건 팔할(八割)이 바람이다.

세상은 가도 가도 부끄럽기만 하드라.

어떤 이는 내 눈에서 죄인(罪人)을 읽고 가고

어떤 이는 내 입에서 천치(天痴)를 읽고 가나

나는 아무것도 뉘우치진 않을란다.

찬란히 틔워 오는 어느 아침에도

이마 우에 얹힌 시(詩)의 이슬에는

몇 방울의 피가 언제나 섞여 있어

볕이거나 그늘이거나 혓바닥 늘어트린

병든 수캐마냥 헐떡거리며 나는 왔다.

📖 시작노트

　서정주(徐廷柱) 시인의 시 「자화상(自畫像)」이다. 첫 행부터 치열하다. 마지막 행도 역시 치열하다. 첫 행은 자기 아버지가 종이었다고 과감히 폭로하는 강세를 보였고, 마지막 행에서는 "병든 수캐 마냥 헐떡거리며 나는 왔다."고 떠외고 있다. 이러한 정서의 강렬한 분출은 댐의 수문을 한꺼번에 많이 여는 경우처럼 독자를 격하게 한다. '종'이란 한국의 봉건사회에서는 천민이라 하여 인간 대우를 받지 못하는 계층에 속하는 사람을 가리킨다. 이런 야성이 서정주의 시세계를 확장하는 에너지로 작용한 것으로 보인다.

그날이 오면

심훈

그날이 오면, 그 날이 오며는
삼각산이 일어나 더덩실 춤이라도 추고
한강 물이 뒤집혀 용솟움 칠 그날이
이 목숨이 끊어지기 전에 와주기만 하량이면
나는 밤하늘에 나는 까마귀와 같이
종로의 인경을 머리로 들이받아 울리오리다.

두개골이 깨어져 산산조각이 나도
기뻐서 죽사오매 무슨 한이 남으오리까.

그날이 와서, 오오 그 날이 와서,
육조(六曹) 앞 넓은 길을 울며 뛰며 뒹굴어도
그래도 넘치는 기쁨에 가슴이 미어질 듯 하거든
드는 칼로 이 몸의 가죽이라도 벗겨서

커다란 북을 만들어 들쳐 메고는
여러분의 행렬에 앞장을 서오리다.

우렁찬 그 소리를 한 번이라도 듣기만 하면
그 자리에 거꾸러져도 눈을 감겠소이다.

 시작노트

　일제의 가혹한 침탈에 저항한 이 시(그날이 오면)는 저항시의 한
본보기로 꼽히고 있다. 조국 광복의 그 날이 오기만 하면 목숨은 스
스로 초개와 같이 버려도 좋다는 순애(殉愛)의 정신을 내비치고 있
다. 1931년 3월 1일에 쓴 작품이라는 점을 생각하면 일제의 식민지
치하의 어둠 속에서 광복의 그 한날을 얼마나 갈망하고 고대했는
지 짐작하고도 남는다.

가배절嘉俳節

심훈

팔이 곱지 않았으니 더덩실 춤을 못 추며,
다리 못 펴 병신 아니니 가로세로 뛰진들 못하랴.

벼 이삭은 고개 숙여 벌판에 금물결 일고
달빛은 초가집 용마루를 어루만지는 이 밤에……
뒷동산에 솔잎 따서 송편을 찌고
아랫목에 신청주(新淸酒) 익어선 밥풀이 동동
내 고향의 추석(秋夕)도 그 옛날엔 풍성했다네
비렁뱅이도 한가위엔 배를 두드렸다네.

기쁨에 넘쳐 동네방네 모여드는 그 날이 오면
기저귀로 고깔 쓰고 무둥서지 않으리
쓰레받기로 꽹과리 치며 미쳐나지 않으리.

오오 명절(名節)이 그립구나!

단 하루의 경절(慶節)이 가지고 싶구나! -

    1929년 9월 17일자 작품으로 기록된 이 시는 일제에 의한 질곡의 암흑 속에서도 우리 겨레의 아름답고 풍성했던 추석 명절을 떠올리면서 단 하루의 경절(慶節), 즉 온 나라가 경축하는 날인 국경일(國慶日)을 갖고 싶다는 염원을 치열하게 드러내고 있다. 이 시에는 앞의 시 「그 날이 오면」에서와 마찬가지로 곧 죽어도 되살아나 새롭게 일어나고자 하는 흥기(興起)가 신바람 나게 보인다.

    심훈(沈熏)은 1901년 서울 노량진에서 태어났다. 본명은 대섭(大燮)이고, 아명은 삼준 또는 삼보였으며, 호는 海風. 그가 시를 썼지만, 소설가와 영화인으로 알려졌다. 경성 제일고보 재학 시(1919) 3·1운동에 참가, 복역. 출옥 후 상해로 가서 元江大學에 입학, 3년간 수학하고 귀국, 동아일보, 조선일보, 조선중앙일보, 및 경성방송국 기자 생활을 하면서 시와 소설을 발표했다.

    특히 영화소설 「탈춤(1926. 11. 9~26. 12. 16)」을 동아일보에 연재, 영화인들의 사진을 소설의 삽화로 사용하여 화제를 모았다. 무희 최승희와 염문이 있었으나 무희 송정옥과 결혼했다.

    장편소설 「상록수(동아일보, 1935. 9)」가 동아일보 창간 15주년 기념 현상 소설에 당선되어 필명 심훈(沈熏)으로 연재하면서 크게 평가를 받고, 농촌 계몽운동에 투신하는 한 시대의 젊은이가 민족적 현실에 참여하는 역경과 플라토닉한 사상을 보여주었다.

해바라기의 비명碑銘

- 청년 화가 L을 위하여

함형수

나의 무덤 앞에는 그 차가운 비(碑)ㅅ돌을 세우지 말라.

나의 무덤 주위에는 그 노란 해바라기를 심어 달라.

그리고 해바라기의 긴 줄거리 사이로 끝없는 보리밭을 보여
달라.

노란 해바라기는 늘 태양같이 태양같이 하던 화려한 나의 사
랑이라고 생각하라.

푸른 보리밭 사이로 하늘을 쏘는 노고지리가 있거든 아직도
날아오르는 나의 꿈이라고 생각하라.

영원한 생명에의 동경을 희구한 함형수(咸亨洙) 시인은 1914년 함경북도 경성에서 태어나 1946년 북한지역에서 타계했다. 그의 대표작으로 알려진 「해바라기의 비명(碑銘)」은 동인지 『시인부락(詩人部落)』 창간호(1936)의 서두를 장식한 작품이다. 이 시(해바라기의 비명)는 호평을 받고 그를 일약 시단의 총아로 일컬어지게 했다.

그러나 너무 가난하여 학업도 중단한 채 광복 후 북한 지역에서 어렵게 살다가 정신착란증으로 사망했다.

그는 1939년 동아일보 신춘문예에 「마음」이 당선된 바 있는데, 발표한 10여 편 중 「해바라기의 비명」이 대표작으로 꼽힌다. 시작품에서 추구한 그의 바람은 자기 무덤 앞에 비석을 세우지 말고, 끝없는 보리밭이 보이게 하고, 해바라기를 심어달라는 바람이다. 그는 마지막 죽음 앞에서도 서정세계의 꿈을 잃지 않으려 했다. 차갑고 딱딱한 비석보다는 부드럽고 싱그러운 보리밭이나 해바라기를 원했던 것이다.

할머니 꽃씨를 받으신다

박남수

할머니 꽃씨를 받으신다.
방공호(防空壕) 위에
어쩌다 핀 채송화 꽃씨를 받으신다.

호(壕) 안에는 아예 들어오시덜 않고
말이 숫제 적어지신
할머니는 그저 노여우시다.

진작 죽었더라면
이런 꼴
저런 꼴
다 보지 않았으련만……

글쎄 할머니

그걸 어쩌란 말씀이셔요
숫제 말이 적어지신
할머니의 노여움을
풀 수는 없다.

할머니 꽃씨를 받으신다.
이제 지구(地球)가 깨어져 없어진대도
할머니는 역시 살아계시는 동안은
그 작은 꽃씨를 털으시리라.

시작노트

　박남수(朴南秀) 시인의 이 시(할머니 꽃씨를 받으신다)의 환경 설정은 전시(戰時) 중의 방공호로 되어 있다. 시간 개념은 6·25 전쟁 상황이요, 공간 환경 상황은 살아남기 위해서 마련한 방공호에서 할머니가 채송화 꽃씨를 받는 행위로 되어있다. 꽃씨를 받는 행위 외에 할머니가 직접 나타내는 말은 별로 없지만, 그 뒤에 숨겨져 있는 뜻은 이 지구가 존재하는 한 인간은 영원히 꽃을 심고 가꾸며 산다고 하는 무언의 의지 같은 것이다. 즉 할머니가 꽃씨를 받는 행위를 통해서, 전쟁의 와중에서도 영원한 평화를 염원하는 의지가 암시되고 있다는 잠언이라 하겠다

북에서 온 어머님 편지

김규동

꿈에 네가 왔더라.
스물세 살 때 훌쩍 떠난 네가
마흔일곱 살 나그네 되어
네가 왔더라.

살아생전에 만나라도 보았으면
하구한 날 근심만 하던 네가 왔더라.

너는 울기만 하더라.
내 무릎에 머리를 묻고
한마디 말도 없이
어린애처럼 그저 울기만 하더라.
목놓아 울기만 하더라.

네가 어쩌면 그처럼 여위었느냐.

멀고 먼 날들을 죽지 않고 살아서

네가 날 찾아 정말 왔더라.

너는 내게 말하더라.

다신 어머니 곁을 떠나지 않겠노라고

눈물 어린 두 눈이

그렇게 말하더라 말하더라.

 시작노트

　김규동(金奎東) 시인의 시(북에서 온 어머님 편지)는 꿈에 어머님
이 현몽(現夢)한 내용을 기록한 글이다. 꿈에 홀연히 나타난 어머니
가 스물 세 살 때 훌쩍 떠난 네가 꿈에 왔더라고 말했다. 너는 내 무
릎에 머리를 묻고 울기만 하더라면서 다시는 어머니 곁을 떠나지
않겠노라고 눈물로 말하더라는 내용을 한국일보에 발표하고, 곡
을 붙여 음반으로 만들었다.

　김규동 시인은 1925년 함경북도 경성에서 태어났고, 2011년 서
울에서 타계했다. 한국일보와 조선일보 신춘문예에 시가 당선, 입
선되었고, 한국일보 문화부장을 역임하기도 했다. 그는 연변의대
를 수료하였는데, 실향시인으로서 이산가족의 슬픔과 고통을 알
고 있음으로 이 「북에서 온 어머님 편지」는 조탁(彫琢)이나 윤색(潤
色)이 필요치 않다.

풀리는 한강 가에서

서정주

강물이 풀리다니
강물이 무엇하러 또 풀리는가.

우리들의 무슨 설움 무슨 기쁨 때문에
강물은 또 풀리는가.

기러기같이
서리 묻은 섣달의 기러기같이
하늘의 얼음짱 가슴으로 깨치며
내 한평생을 울고 가려 했더니

무어라 강물은 다시 풀리어
이 햇빛 이 물결을 내게 주는가.

저 민들레나 쑥이풀 같은 것들
또 한 번 고개 숙여 보라 함인가.

황토 언덕
꽃상여

떼과부의 무리들
여기 서서 또 한 번 바라보라 함인가.

강물이 풀리다니
강물은 무엇하러 또 풀리는가.
우리들의 무슨 설움 무슨 기쁨 때문에
강물은 또 풀리는가.

　서정주(徐廷柱) 시인의 시 「풀리는 한강 가에서」 다. 이 시의 역사적 배경은 6·25 전쟁이 휩쓸고 지나간 후의 비극적 상황이다. 꽁꽁 얼어붙었던 강물이 다시 풀리는 해빙 장면과 전쟁이라는 참혹한 상황이 어울려 그 비극성을 한층 더 강조하고 있다.

　"강물이 풀리다니"는 직접 보고 체험한 해빙 장면의 재생이다. 즉 재생적 상상력의 이미지다. 그리고 '기러기'(기러기같이 - 서리 묻은 섣달의 기러기같이)의 이미지와, '전쟁의 참혹상'(황토 언덕 - 꽃상여 - 떼과부의 무리)도 그 앞뒤의 맥락을 잘라 버리고 각각 단독으로 본다면, 해빙 이미지와 마찬가지로 재생적 상상의 이미지다.

　그러나, "얼어붙은 강물의 풀림"과 "서리 묻은 섣달의 기러기"와 "황토 언덕, 꽃상여, 떼과부의 무리들"은 한 편의 작품이라는 조직 속에 서로 연결 연합하여 통일된 새로운 의미를 창출하고 있다. 겉으로 보면 별개인 개개의 이미지들을 연결 연합하는 것은 상상력의 연합적 통합의 기능 때문에 가능하다.

　해빙은 봄이 온다는 징조요, 봄이 옴은 죽음의 소생이나 부활을 의미하지만, 그러나 민들레나 쑥니풀을 다시 고개 숙여 보게 하고, 남아있는 전쟁의 참상(황토 언덕, 꽃상여, 떼과부의 무리)을 한 번 더 보게 하는 것이 아닌가 생각한다. 그래서 "강물은 무엇하러 또 풀리는가"하고 의문을 제기하면서 시상을 전개하고 있다. 여기서 해빙, 기러기, 전쟁의 참상 등이 어울려 통일된 새로운 의미의 비극적 주제를 창출하였다.

기도

구 상

땅이 꺼지는 이 요란 속에서도
언제나 당신의 속삭임에
귀 기울이게 하옵소서.

내 눈을 스쳐 가는 허깨비와 무지개가
당신 빛으로 스러지게 하옵소서.

부끄러운 이 알몸을 가리울
풀잎 하나 주옵소서,

나의 노래는 당신의 사랑입니다.
당신의 이름이 내 혀를 닳게 하옵소서.

이제 다가오는 불 장마 속에서

'노아'의 배를 타게 하옵소서.

그러나 저기 꽃잎 모양 스러져 가는
어린양들과 한가지로 있게 하옵소서.

 시작노트

　구상 시인의 이 시(기도)에서는 독실한 가톨릭 신자의 목소리를
듣게 된다. 그의 시는 「초토의 시」에서 보는 바와 같이, 종교적 요소
를 직접 나타내지는 않았다. 그러나 이 「기도」는 진솔성이 그대로
드러난다. 따라서 훌륭한 기도는 좋은 시요, 좋은 시는 훌륭한 기도
라는 믿음을 갖게 한다.

이 시 중에서 관심이 가는 구절은 "부끄러운 이 알몸을 가리울 - 풀잎 하나 주옵소서"와 "당신의 이름이 내 혀를 닳게 하옵소서", "꽃잎 모양 스러져 가는 어린양들과 한가지로 있게 하옵소서"다. 좋은 시편이요 아름다운 기도다.

언젠가 가톨릭에서는 "내 탓이오"라는 캐치프레이즈를 내걸고 승용차에 스티커를 부착한 일이 있었다. 이게 신앙인의 자세다. 부끄러운 이 알몸을 가리울 풀잎을 달라거나 당신의 이름이 내 혀를 닳게 하며, 어린 양들과 함께 있게 해달라고 간구하는 것은 신앙인의 기본자세다. 그리고 간과할 수 없는 구절이 있다. 그것은 "내 눈을 스쳐 가는 허깨비와 무지개가 당신 빛으로 스러지게 하옵소서"다.

구상(具常) 시인은 1919년에 함경남도 원산에서 태어났고, 2004년 서울에서 타계했다. 1941년에는 일본 니혼대학 종교과를 졸업했고, 원산 문학가동맹에서 낸 동인 시집 『응향』에 서정시 「길」 「려명도(黎明圖)」 「밤」을 발표하여 데뷔했다. 그러나 이 작품으로 말미암아 북조선문학예술총동맹 중앙위원회로부터 반동 시인으로 낙인이 찍혀 좌익의 규탄과 탄압을 받고 월남(1947)했다.

영남일보 주필 겸 편집국장을 지냈고, 종군 작가단 부단장, 서울대와 서강대 강사, 경향신문 논설위원을 역임했다.

이러한 경력을 가진 구상 시인의 처지에서는 "내 눈을 스쳐 가는 허깨비와 무지개가 당신 빛으로 스러지게 하옵소서"라는 기원이 실감으로 다가온다. '허깨비'라는 게 북한에서는 물론, 남한 사회에서도 수없이 보아왔기 때문이리라.

9월의 편지

황금찬

옷장 밑 빼닫이에서
당신의 신발 한 짝을 내봅니다.
이것은 당신이 끌려가던 날 새벽
뜨락에 벗어진 당신의 신발입니다.

그 후 당신의 소식을 모릅니다.
첫아이면서 막내동이가 된
영희년은
벌써 국민학교 3학년이랍니다.

공백화해 가는 내 창 앞에
9월이 가져오는 이 편지를
어떻게 읽어야 하는 겝니까.

같은 하늘 밑에서 산다곤 믿어 안 지고
그렇다고 안 믿기란 믿기보다 어렵습니다.

혹 영희년이 병이 나면
아버지를 찾습니다.

그때처럼 당신이 미운 때는 없습니다.
나는 당신이 납치된 이유를 아직도 모릅니다.
그저 9월이면 하늘 같은 사연으로
편지를 쓸 뿐
그러나 보낼 곳이 없습니다.

손끝도 닿을 내 강토에
암암히 흐르는 이 강물은
우리들에게 칠월칠석도 마련하지 않고
납치의 달 9월은 가는 것입니다.

나는 지금 잠든 영희의 머리맡에서
이 편지를 쓰고 있습니다.
4292년에
또다시 9월의 편지를 쓰기 전,
당신은 소식 주십시오.

　황금찬(黃錦燦) 시인의 이 시(9월의 편지)에서는 "신발 한 짝"이 중요한 동기가 되고, 효과 있는 역할을 한다. 그것은 남편이 끌려가던 날 벗겨진 신발이기 때문이다. 시 창작의 동기는, 시인이 어떤 사물을 지각하고 그 사물에 대한 느낌을 시로 표현하고 싶다는 욕구충족을 위해 사물을 제재로 끌어들인다. 이 시에서도 "신발 한 짝"이 그래서 의미가 있다.

참깨를 털면서

김준태

산그늘 내린 밭 귀퉁이에서 할머니와 참깨를 턴다.
보아하니 할머니는 슬슬 막대기질을 하지만
어두워지기 전에 집으로 돌아가고 싶은 나는
한번을 내려치는 데도 힘을 더한다.
세상사에는 흔히 맛보기가 어려운 쾌감이
참깨를 털어대는 일엔 희한하게 있는 것 같다.
한번을 내리쳐도 셀 수 없이
솨아솨아 쏟아지는 무수한 흰 알맹이들
도시에서 십년을 가차이 살아본 나로선
기가 막히게 신나는 일인지라
휘파람을 불어가며 몇 다발이고 연이어 털어댄다.
사람도 아무 곳에나 한 번만 기분 좋게 내리치면
참깨처럼 솨아솨아 쏟아지는 것들이
얼마든지 있을 거라고 생각하며 정신없이 털다가

"아가, 모가지까지 털어져선 안 되느니라."
할머니의 가엾어하는 꾸중을 듣기도 했다.

시작노트

김준태(金準泰) 시인의 시(참깨를 털면서)는 재미있다. 평범함으로 위장한 비범함이 더욱 그렇다. 이 시인은 도시 생활에 재미를 보지 못한 것 같다. 그래서 누군가를 미워하는 구석도 있는 것 같다. 그런데 그 미움의 대상이 보이지 않는다.

오히려 첫 구절부터 서정시다운 시어(詩語)로 독자를 사로잡는다. "산그늘 내린 밭 귀퉁이에서 할머니와 참깨를 턴다"가 그것이다. 여기에서는 갈등이 보이지 않아서 좋다. 시도(詩道)란 말도 있다. 시도에 이르려면 미움의 요소를 스스로 태워서 없애는 일이다. 이 시에서처럼 갈등요소가 있으나 내비치지 않고 은폐시키기도 훌륭하지만, 그것을 스스로 태워 없애고 마음의 평화를 유지하는 일이 중요하다.

여기에서 할머니는 측은지심(惻隱之心)이 승하여 어질고(仁), 나(시인)는 수오지심(羞惡之心)이 승하여 의롭다(義). 어진 사람은 용서하기 쉽고, 의로운 사람은 시시비비를 가려서 따지기 쉽다. 둘 다 중요하지만, 어느 길이 시도(詩道)인지 생각해 볼 일이다.

e 순수와 참여의 조화적 경지

춘궁여담_{春窮餘談}의 작품세계

이제까지 순수시를 찾아 나섰다. 그 까닭은 순수한 서정시가 시의 본령이기 때문이다. 왜 그럴까. 시가의 기원을 찾아 올라가면 원시 고대의 공동체 사회의 제의(祭儀)에서 발생했음을 간과할 수 없다. 따라서 시어(詩語)는 제의에서처럼 정화된 언어여야 한다. 제의에서 증오나 투쟁이 있을 수 없듯이 시(詩)작품 표현에서도 역시 증오나 투쟁이 있을 수 없다.

문학에서도 순수와 참여를 간과할 수 없다. '순수와 참여'라든지, '자유와 평등' 모두 소중하다. 그런데, 그 가운데 무엇을 선행해야 하는가. 수단보다는 본질을 선행해야 한다. 어느 게 본질이고, 어느 게 수단인가. 자유가 본질이요 평등은 수단이며, 순수가 본질이요 참여는 수단이다. 그 단적인 실례가 카프의 주동 인물이었던 박영희의 "얻은 것은 이데올로기며 상실한 것은 예술 자신이었다"는 전향선언이다. 이 이상 무슨 말이 더 필요하겠는가.

신석정 시인의 참여론은 "시인에게 있어서 행동이란 바로 작품 활동을 하는 것"으로 요약된다. 즉 시를 써서 자신의 정서와 사상을 만인에게 공개한다는 자체가 바로 그 시인의 행동이며 참여라고 인식하고 있다. 신석정 시인의 작품에서도 이러한 사상을 찾아볼 수 있다.

산중문답山中問答 4

신석정

송화(松花)가루 꽃보라 지는
뿌우연 산협(山峽)

철그른 취나물과 고사릴 꺾는
할매와 손주딸은 개풀어졌다.

할머이
〈엄마는 하마 쇠자라길 가지고 왔을까?〉
〈··〉

풋고사릴 지근거리는
퍼어런 잇빨이 징상스러운 산협(山峽)에

뻐꾹
뻐꾹 뻐억 뻐꾹

이 시는 이제까지 자주 논의된 작품은 아니다. '춘궁여담(春窮餘談)'이라는 부제(副題)에서도 알 수 있듯이, 지극히 평범한 어조로 일관하고 있다. 제목은 이백(李白)의 「山中問答」과 같으나, 이백의 "복사꽃 냇물이 아득히 흘러가는, 다른 천지가 있으니 사람 세계가 아니다"라는 낭만적 낙원의 경지와는 달리, 각박한 사회 현실과 자연의 통합된 경지를 보여주는 점에서, 신석정(辛夕汀) 시의 위상을 재조명하고자 한다.

이 시의 배경이 되는 산을 중심으로 전개하는 짧은 이야기식의 구성을 살펴보면, 일제(日帝)와 6·25를 전후하여 흔히 있었던 일로서 경제적으로 궁핍하여 산나물을 캐거나 쑥을 캐어서 삶아 먹기도 하고, 나무껍질을 벗겨 송피(松皮) 떡을 만들어 먹던 시절의 늦은 봄, 춘궁기의 이른바 보릿고개를 먼저 상정하고 있고, 할머니와 손주 딸이 함께 등장하고 있으며, 소녀의 어머니는 산협(山峽) 현장에는 자리하지 않고 있다.

소녀의 입 안 가득 뜯어먹은 산채가 그 "퍼어런 잇빨이 징상스러운"채로 할머니에게 쇠자라기를 얻으러 간 어머니의 안부를 묻는다. 굶주려 허기진 배를 쇠자라기로 채우기 위해서다. 그러나 어머니는 아직 소식이 없는 상태에 있다. 춘궁기 이야기는 다시 뻐꾸기 소리로 전환된다. 먹을 것이 없어서 철이 지난 고사리와 취나물을 뜯어먹고, 어머니는 돼지도 독해서 먹지 않는다는 쇠자라기(소주를 내리고 남은 술지게미)를 구해 와야 하는 비극적 현실이 자연 속에 용해되어 있다.

그러나 이야기 전체를 이끌어 가는 주체적 화자는 '소녀'다. 뻐꾸기 소리는 시 전체의 분위기를 자연 속에 포용하고 있다. 즉 소녀와 뻐꾸기 소리는 현실의 어려움, 모순을 건져내어 주는 역할을 한다.

특히 뻐꾸기 소리가 주는 효과란 비극적 사회 현실에 공감하는 독자를, 즉 '소녀'라는 대체된 인물로 표상하고 있는 독자 자신을 다시 관조의 세계로 이동하여 확장시켜 주기도 한다. 비극적 시대의 사회상에 대한 고발을 자연 사물과의 조화를 통한 관조적 표현으로 순화시키고 있다.

독자로 하여금 산속의 소녀로서 공존하게 하고, 후에는 그 산을 한 폭의 그림을 보듯 멀리서 관조하게 하는 것은 문학성이 이룩한 미학이라 하겠다. 절대가치로부터 괴리된 현실모순의 상황을 산이라는 자연물에 설정하고, 그 현실모순 속에서 고통받는 인간을 소녀로 대체하고 있는 이 시는, 마침내 뻐꾸기 소리로서 그 현실 초탈을 시도한다.

그러나 작품 전체에서 볼 때 이 시는 의미상 유추의 관계 이전에 완벽한 서정성과 참여성을 보이고 있다. "송화(松花)가루 꽃보라 지는/ 뿌우연 산협(山峽)"에서는 온화한 관조의 자세, 그러한 연민의 정을 드러내고 있다. 이는 '어머니'의 경우에서도 찾아볼 수 있었던 자연과 자연으로의 인도자의 역할을 다시 되새기게 한다.

신석정은 결국 자연이라는 안식처를 찾아감으로 인해서 의식 속에 자리한 갈등을 여과시킬 수 있게 되었다. 그는 노자(老子)와 도연명(陶淵明), 그리고 타고르, 한용운(韓龍雲), 정지용(鄭芝溶), 김기림(金起林), 김안서(金岸曙) 등의 영향을 받았다 하고, 또 한시(漢詩)에도 깊은 관심을 가졌다고 하지만, 그 중 어느 누구의 작시체(作詩體)를 그대로 이어받지는 않은 것 같다.

이야기

신석정

    향나무가 둘려있는 마을 샘에서는 〈숲안떡〉이랑 〈양년이〉네 언니랑 그 지긋지긋한 감저순과 봄내 먹어내던 쑥을 헹구면서 〈돌쇠〉 엄마가 가엾다고들 이야기하였다.

    옥 같은 서리 쌀밥에 저리지를 감아 한 사발만 먹고프다던 〈돌쇠〉 엄마는 해산한 뒤 여드렐 꼽박 감저순만 먹다가 그예 세상을 떠나고 말았다.

    감저 순은 속을 몹시 깎아낸다는 이야기, 그러기에 흉년 너무새론 쑥을 덮어 먹을 게 없다는 이야기, 소같이 마냥 먹어내던 쌀겨도곤 차라리 피를 훑어 죽을 끓여먹는 게 낫다는 이야기……

    샘을 둘러 서 있는 향나무에서도 감자순과 쑥내음새가 구수하고 마을 아낙네의 새로운 생존철학 강의에서도 너무새 내음새가 자꾸만 풍겨온다.

    하늘이여, 피가 돌기에 마련이면, 어찌 독새기를 먹어야 하는 가뭄과 농토를 앗아가고 쌀겨를 먹이는 물난리와 자맥을 먹는 벼이삭에 몹쓸 바람을 보내야 하는가.

가을도곤 오는 봄을 근신하는 마을 아낙네의 서글픈 이야기가 오늘도 내일도 퍼져가는 한 지구는 영원히 아름다운 별일 수 없다.

📖 시작노트

굶어 죽은 이웃에 대한 연민, 암담한 사회 현실에 대한 분노와 체념 등의 갈등은, 단지 제삼자나 방관자로서의 시선과 목소리가 아니라 자기 자신의 현실로서, 즉 자기 자신의 문제로서 절규하고 있음을 알 수 있다. 그러기에 추상적 관념적 구호가 아니라 감동적인 절규로 받아들이게 된다.

이러한 현실적 체험에서 우러나온 생명의 소리이기에, 서정성과 사회성, 개성과 현실성, 심미성과 목적성이 하나로 어울려 융합된 포에지를 창조하게 된다.

시인에게 있어서 사회적 부조리나 부패 등 갖가지 사항에 관한 비판의 당위성과 그 방법론에 대한 의문은 꾸준히 계속되어 온 문제이며, 다양한 설명이 수반되어왔다. 대체로 우리 순수시는 사회의식이 빈약하고, 참여시는 미학적 수준이 결여해있다는 이분법적 사고에 익숙해 있다.

또한, 문학이 사회에 관심을 기울이게 되면 미적 완결성을 잃게 되고, 반대로 문학이 사회적 관심을 거두어 자족적인 예술 세계에 안주하게 되면 사회성이 떨어질 수밖에 없다는 기계론적 사고에 함몰되는 경우가 종종 있는데, 신석정의 경우는 그러한 도식적 이분법과 순수시와 참여시 사이에 놓인 예술적 벽을 극복하여, 참여시가 예술적 완결성을 놓치지 않고, 또한 높은 시적 정서가 사회적 관심과 별개의 것이 아님을 동시에 보여주고 있다. 신석정의 사회적 관심이 예술적 품격을 잃지 않는 미학적 비결이 여기에 있다.

역사와 사회 현실의 인식으로부터 뿌리내리는 문학을 추구하되 문학의 문학다움을 잃지 않음으로써 참다운 문학의 지평은 열릴 수 있을 것이다. 그리고 그처럼 내용과 형식의 일체화의 범주로서, 문학은 참여성(사상성)과 순수성(예술성)이 조화될 때 진정한 가치를 지닌다.

이제까지 신석정의 시 「산중문답」과 「이야기」, 이 두 편의 시를 살펴보았는데, 그 진면모는 자연과의 관계에 있어서 친화적이면서도 사회와의 관계에 있어서는 비판적인 인간의 면모를 보이고 있음을 알 수 있다. 나아가서 자연과 사회, 이 양면성에 있어서 비극적 사회 현실에 연민의 정을 느끼면서도 자연과 교감하고 친화함으로써 서정과 참여의 통합적 경지를 보여주고 있는데, 이는 종전보다는 한층 성숙한 의식의 승화라 하겠다.

따라서 신석정의 '춘궁여담'은 정신춘궁기에서 자살자가 속출하고 있는 사회 현실에서 의지박약을 의심받게 하는 문인들로 하여금 문학 본령의 길을 찾아가도록 제시하는 나침반이 되어줄 것을 기대한다.

까치밥

황송문

우리 죽어 살아요.
떨어지진 말고 죽은 듯이 살아요.
꽃샘바람에도 떨어지지 않는 꽃잎처럼
어지러운 세상에서 떨어지지 말아요.

우리 곱게 곱게 익기로 해요.
여름날의 모진 비바람을 견디어 내고
금싸라기 가을볕에 단맛이 스미는
그런 성숙의 연륜대로 익기로 해요.

우리 죽은 듯이 죽어 살아요.
메주가 썩어서 장맛이 들고
떫은 감도 서리 맞은 뒤에 맛 들듯이
우리 고난받은 뒤에 단맛을 익혀요.

정겹고 꽃답게 인생을 익혀요.

목이 시린 하늘 드높이
홍시로 익어 지내다가
새 소식 가지고 오시는 까치에게
쭈구렁바가지로 쪼아 먹히고
이듬해 새봄에 속잎이 필 때
흙 속에 묻혔다가 싹이 나는 섭리
그렇게 물 흐르듯 순애(殉愛)하며 살아요.

시작노트

열독제시熱讀提示- 이 시에서 시인은 일부 사람들이 핏대를 세워
목소리를 높여야 제 몫을 찾을 수 있다고 주장할 때 '다른 목소리'를
내고 있다. 조용하지만 확신에 찬 메시지, '죽어 살면서' 인생을 익
히는 삶의 자세를 권장하는 이 목소리는 톤은 낮지만 울림은 깊다.
확고한 철학적 사고가 배경이 되어있음을 느낄 수 있어 그냥 지나
칠 수 없는 '목소리'이다. 이 시에서 "죽어 살아요"라는 말은 얼핏
보면 조용히 고생을 견디며 살아야 한다는 것 같지만 곰곰이 음미
하면 고난을 딛고 새로운 차원으로 거듭나 살아야 한다는 말이다.
  - 조선족고급중학교교과서 조선어문 필수1, 연변교육출판사 -

옥밥

오봉옥

옥밥 한술 억지로 욱여넣다 생각하니
엄니가 흙마당 멍석 위로 저녁을 나르실 때
풀물 든 손을 툴툴 털어내던 아버진
어여 와 어여 와 하시었는데,
그 엄니 오늘은 밥상머리 한구석이 비어
된수저 치켜들다 울었는지 안 울었는지.

시작노트

　이 시(옥밥)는 참으로 눈물겹다. 이 시는 오봉옥 시인이 부조리
하게 여겨지는 현실을 갈아엎으려다가 잘못되어 감옥에 간 상태
다. 그 감옥에서 옥밥을 먹다가 문득 어머니 생각을 하게 된다.
　어머니 속깨나 썩인 자식이고 보니 미안하기도 하고, 죄송스러
울 게 아닌가. 밥때가 되었으니 어머니도 밥을 드시겠구나 하고 연
상해 보는데, 남도 시골이니까 흙마당 멍석 위로 저녁을 나르시는

어머니가 떠오르고, 투박한 아버지의 목소리도 떠오르겠지. 평상시 같으면 당연히 오봉옥 시인도 부모와 함께 밥을 먹을 텐데, 감옥에 갇혀서 그 자리가 비어있으니 어머니의 마음인들 오죽이나 쓰리고 아프겠는가.

이 시의 결말은 "그 엄니 오늘은 밥상머리 한구석이 비어 된수저 치켜들다 울었는지 안 울었는지."다. 여기서는 '된수저'라는 말이 나오는데, 이 '된수저'는 '되다'에서 온 말인 듯하다. 힘에 겹다거나 벅차다고 할 때, 일이 너무 되다고 할 때 쓰이는 말이기 때문에 이 '된수저'는 고달픈 수저로 이해하면 되겠다. 그러니까 오봉옥 시인의 어머니께서 고달픈 수저를 치켜들다가 울었는지, 안 울었는지는 그렇게 여겨질 뿐 알 수 없는 상태다.

이 '된수저'는 물론 힘겨운 생활에서도 기인하겠지만, 자식이 감옥에 갇혀있으니 밥인들 제대로 들어가겠는가. 그러니 맥빠진 상태에서 된수저를 들다가 울어버리는 어머니를 상상하는 자식의 마음은 얼마나 찢어지겠는가. 이 시를 보면 오봉옥 시인은 아무리 참여의식이 강해도 그 내면에는 혁명적 서정시가 흐르고 있음을 감지하게 된다.

내가 만난 인민군

이신강

어머니는 일제(日帝)하에서도 내놓지 않던 놋그릇(祭器)을 꽃밭을 파고 항아리에 고이 담아 묻고 그 위에 봉선화와 과꽃을 심었습니다. 꽃밭에는 다알리아와 글라디올러스, 야생 국화와 도라지꽃이 다투어 피고 있었습니다. 한 인민군이 싸리문을 밀고 들어섰습니다. 소스라치게 놀라 바라보는 어머니를 보고 그 인민군이 "놀라지 마십시오. 저는 학생인데 저도 오고 싶어 온 것이 아니랍니다. 고향에는 부모님이 계십니다. 지나가다가 꽃을 보고 들어왔습니다. 아주머니, 꽃 한 송이만 주실 수 있겠습니까?" 어머니는 고개만 끄덕이며 꽃 한 아름을 안겨주었습니다. 그 인민군은 물기 어린 눈으로 어머니를 그윽하게 바라보고 갔습니다. 어머니도 옷고름으로 눈물을 찍으며 빨간 눈으로 그 인민군의 뒷모습을 한참이나 지켜보고 있었습니다.

이신강의 시(내가 만난 인민군)는 소재 자체에 제재(題材)가 내포
되어있어서 그 에피소드만으로도 감동을 주게 된다. 건강한 사람
에게는 짙은 화장이 필요 없는 이치와도 같다 하겠다. 감상과 이해
는 독자의 몫이다.

Ⅱ

순수시와 참여시

순수시(純粹詩)란 아름다운 시에 방해가 되는 불순한 요소를 제거하고, 순수하게 시적인 차원을 개척하고자 하는 시를 말한다. 불순한 목적과 정치적 태도를 버리고, 시다운 시, 예술적으로 가치 있는 훌륭한 작품을 생산하기 위해 진력하는 문학을 말한다.

참여(參與)란 프랑스어로 앙가지망(engagement)이라고 한다. "약속하다, 구속하다, 저당잡히다"는 뜻으로 사회문제, 정치문제에 참여하여 자기를 구속하는 것을 말한다. 물론 사람은 사회생활을 해야 하므로 사회에 참여하지 않을 수 없다. 그런데 시인의 경우, 특정한 정치체제나 이데올로기에 편승하게 되면 그의 시녀가 되기 쉽다.

그 단적인 예가 카프(KAPF, 조선프롤레타리아예술가동맹)의 대변자로 활약했던 박영희 시인이 "얻은 것은 이데올로기며 상실한 것은 예술 자신이었다."고 한 전향선언이다. 어떤 편협된 이념에 빠져 참여하다 보면 순수성을 잃고 모순에 빠지기 쉽다.

그렇다고 해서 참여하지 말라는 말이 아니다. 참여하되 카프의 조직원들처럼 그렇게 모순된 이데올로기를 신봉한다거나, 예술은 그들 이념을 교조적으로 집행하는 것으로 믿어서는 곤란하다는 뜻이다. 왜냐하면 시(예술) 이전에 사람이 구겨지기 때문이다. 사람다운 사람이 되지 못하고 구겨진 인간이 어떻게 아름다운 시를 쓸 수 있겠는가.

광복 후 카프(문학가동맹)의 일방적인 활동과 맞서서 시다운 시로서 전개하고 발전시켜나간 게 서정주, 박목월, 박두진, 조지훈 등의 시인과 김동리, 조연현 등의 비평가였다. 이들의 작품세계는 그 수준에 있어서 단연 광복 시단의 큰 수확이었다. '현실도피'나 '음풍영월(吟風詠月)'이라는 카프 측의 공격에도 불구하고, 순수시의 향상은 순수문학의 승리라 하겠다.

한국현대시 사상 가작으로 작품을 생산한 시인들, 가령 김영랑과 정지용, 김기림, 김광균, 노천명, 김상용, 신석정, 서정주 등의 시인들을 잊어서는 안 된다. 그 시인들의 시다운 시는 마음을 정화하는 정신의 약수라 할 수 있기 때문이다.

심상心象의 표현表現

여운餘韻

조지훈

물에서 갓 나온 女人이
옷 입기 전 한 때를 잠깐
돌아선 모습
달빛에 젖은 탑塔이여!

온몸에 흐르는 윤기는
상긋한 풀내음이라
검푸른 숲 그림자가 흔들릴 때마다
머리채는 부드러운 어깨 위에 출렁인다.

시작노트

　여기에서 조지훈(趙芝薰) 시인은 탑의 전체적인 모습을 '물에서 갓나온 여인'에, 탑에 흐르는 윤기는 '상긋한 풀내음새'에 비유하고 있다.

가늘한 내음

김영랑

내 가슴 속에 가늘한 내음
애끈히 떠도는 내음
저녁 해 고요히 지는 제
먼 산 허리에 슬리는 보랏빛

오! 그 수심띤 보랏빛
내가 잃은 마음의 그림자
한 이틀 정열에 뚝뚝 떨어진 모란의
깃든 향취가 이 가슴 놓고 갔을 줄이야

얼결에 여원 봄 흐르는 마음
헛되이 찾으려 허덕이는 날
뻘 위에 처얼썩 갯물이 놓이듯
얼컥이는 훗긋한 내음

아! 훗긋한 내음 내키다 마는
서언한 가슴에 그늘이 도오나니
수심 띠고 애끈하고 고요하기
산허리에 슬리는 저녁 보랏빛.

 시작노트

　여기에서의 '내음'은 '냄새'를 정서적으로 품위 있게 바꾸어 표
현한 말이다. '냄새'라는 말보다 '내음'이 한결 품위가 있으면서도
아름답기 때문이다. 이처럼 순수 서정시는 잡다한 일상어 가운데
에서 주옥같이 가려내는 듯한 묘미가 있어야 하겠다.

그리움

유치환

파도야 어쩌란 말이냐
파도야 어쩌란 말이냐
임은 뭍같이 까딱 않는데
파도야 어쩌란 말이냐
날 어쩌란 말이냐.

이 시〈그리움〉는 널리 애송되는 작품이다. 이 시의 공간은 해변이다. 시인은 해변에서 바다의 파도를 바라보고 있다. 시인은 파도가 움직이는 정경을 단순한 물체의 움직임만으로 보지 않고, 어떤 행동으로 나타나도록 충동질하는(강요 하는) 것으로 받아들이고 있다. 이 시에서도 낭만주의적 인생파 시인으로서의 면모를 보인다.

광복 후에는 청년문학가협회 회장직을 맡아 반공 민족 문학의 선두에 섰고, 반공산주의와 휴머니즘에 입각한 민족 문학의 길을 걸었다. 그의 시는 범신론적 자연애로 통하는 생명에의 열애를 바탕으로 하고 있으며, 이 바탕에서 한편으로는 동양적인 허정무위(虛靜無爲)의 세계를 추구했고, 한편에는 그러한 허무의 세계를 극복하려는 강인한 의지를 보이기도 했다. 생명의 긍정에서 서정주와 더불어 세칭 생명파 시인으로 출발한 그는, 광복 후 서정주와는 쌍벽을 이루어온 의지적 낭만주의 시인이었다.

성북동 비둘기

김광섭

성북동 산에 번지가 새로 생기면서
본래 살던 성북동 비둘기만이 번지가 없어졌다.
새벽부터 돌 깨는 산울림에 떨다가
가슴에 금이 갔다.
그래도 성북동 비둘기는
하느님의 광장 같은 새파란 아침 하늘에
성북동 주민에게 축복의 메시지나 전하듯
성북동 하늘을 한 바퀴 휘돈다.
성북동 메마른 골짜기에는
조용히 앉아 콩알 하나 찍어 먹을
널직한 마당은커녕 가는 데마다
채석장 포성이 메아리쳐서
피난하듯 지붕에 올라앉아
아침 구공탄 굴뚝 연기에서 향수를 느끼다가

산 1번지 채석장에 도로 가서
금방 따낸 돌 온기에 입을 닦는다.
예전에는 사람을 성자처럼 보고
사람 가까이서
사람과 같이 사랑하고
사람과 같이 평화를 즐기던
사랑과 평화의 새 비둘기는
이제 산도 잃고 사람도 잃고
사랑과 평화의 사상까지
낳지 못하는 쫓기는 새가 되었다.

📖 시작노트

　이 시(성북동 비둘기)는 「월간문학」(1968.11)에 발표한 작품이다. 제4시집 『성북동 비둘기』의 표제가 된 이 작품은 그의 시작(詩作) 가운데에서 「마음」과 함께 가장 뛰어난 수작의 하나로 평가되고 있다. 순수한 자연미와 평화를 상징하는 비둘기가 팽배한 물질문명으로 인해 삶의 보금자리를 잃고 방황하는 삶의 현장에 초점을 맞춰 그 아픔(슬픔)을 표현한 작품이다. 여기에서 '쫓기는 새'는 현대인이 겪기 쉬운 정서 고갈의 우려와 함께 근원적인 향수를 불러 일깨운다.

가을의 기도

김현승

가을에는
기도하게 하소서…
낙엽들이 지는 때를 기다려 내게 주신
겸허한 모국어(母國語)로 나를 채우소서.

가을에는
사랑하게 하소서…
오직 한 사람을 택하게 하소서.
가장 아름다운 열매를 위하여 이 비옥(肥沃)한
시간을 가꾸게 하소서.

가을에는
홀로 있게 하소서…
나의 영혼,

굽이치는 바다와

백합(百合)의 골짜기를 지나

마른 나뭇가지 위에 다다른 까마귀 같이.

 시작노트

　김현승(金顯承) 시인의 이 시(가을의 기도)는 가을날 신앙인의 겸
허한 자세를 여실히 나타낸 작품이다. 이 시인은 조락의 계절에 경
건한 마음으로 인생을 돌아보며 참다운 가치를 추구한다. 조락(凋
落)은 시인의 숙명과 닮은 상사성(相似性)에서 공감하게 한다. 이 시
인은 "가을에는 사랑하게 하소서"하고 절대자에게 간구하면서, 현
실을 초극하여 자유로운 영혼으로 안심입명(安心立命)의 경지를 희
구하고 있다. 돈독한 신앙인의 확고한 자세가 엿보인다.

눈물

김현승

더러는
옥토(沃土)에 떨어지는 작은 생명이고저……

흠도 티도
금 가지 않은
나의 전체는 오직 이뿐!

더욱 값진 것으로
드리라 하올제,
나의 가장 나아종 지니인 것도 오직 이뿐!

아름다운 나무의 꽃이 시듦을 보시고
열매를 맺게 하신 당신은,

나의 웃음을 만드신 후에
새로이 나의 눈물을 지어 주시다.

📖 시작노트

 김현승 시인의 시 「눈물」이다. 기독교 정신을 기조로 인간 내면의 진실에 관심을 쏟은 김현승 시인의 작품이다. 종교적 차원은 이처럼 겸허하면서도 지고지선(至高至善)의 진실성을 바탕으로 절대 가치에의 치열성을 보이게 된다.

 이 시는, 1960년대 이후부터 타계할 때까지 기독교적인 바탕 위에 선 인간으로서의 고독의 세계를 추구하는 작업을 계속할 때 쓰여진 작품이다. 그의 종교적 차원의 시세계가 응축되어 있는 듯한 느낌을 주는 작품이라 하겠다.

말씀의 실상實相

구 상

영혼의 눈에 끼었던
무명(無明)의 백태가 벗겨지며
나를 에워싼 만유일체(萬有一切)가
말씀임을 깨닫습니다.

노상 무심히 보아오던
손가락이 열 개인 것도
이적(異蹟)이나 접하듯
새삼 놀라웁고

창밖 울타리 한 구석
새로 피는 개나리꽃도
부활(復活)의 시범(示範)을 보듯
사뭇 황홀합니다.

창창(蒼蒼)한 우주(宇宙), 허막(虛漠)의 바다에
모래알보다도 작은 내가
말씀의 신령한 그 은혜로
이렇게 오물거리고 있음을

상상도 아니요, 상징(象徵)도 아닌
실상(實相)으로 깨닫습니다.

시작노트

　구상 시인은 일본대학 종교과를 졸업한 신앙인이다. 이 시(말씀의 실상)에는 학문적 어휘가 섞여 있기는 해도 심오한 신비체험에서 온 신앙심이 감동을 준다. "노상 무심히 보아오던 - 손가락이 열 개인 것도 - 이적(異蹟)이나 접하듯 - 새삼 놀라웁고"가 바로 그것이다. 이런 경우가 평범에서 포착한 비범함이다. 자기가 아름다움을 지니지 못하면 세상의 아름다움을 다 보고도 알지 못한다는 말이 있다.

　이 시의 첫 연에 '말씀'이 나온다. 성서에는 "태초에 말씀이 계시니라. 이 말씀이 하나님과 함께 계셨으니 이 말씀은 곧 하나님이시니라"는 구절이다. 보통 사람들은 이 심오한 진리를 제대로 이해하지 못할 것이다. 자기만큼 이해할 것이다. 시도 이와 같다 하겠다.

산상山上에서

이원섭

山이 흐른다. 천 갈래 만 갈래로 물결 일으키며, 산이 너울너울 흐르고 있다. 소나무 참나무 떡갈나무와 철쭉꽃과 산새와 아지랑이도 山을 따라 아득히 흘러가고 있다. 山이 발밑까지 밀려든 도시(都市), 도시의 문명과 영화가 흐르고, 양 새끼치듯 몇 송이 구름이나 가꾸며 사는 하늘이 흐르고, 보수(寶樹)와 누대(樓臺)와 보살로 들어찬 항하사수(恒河沙數)의 불국토(佛國土)가 흐르고, 팔열지옥(八熱地獄), 팔한지옥(八寒地獄), 어둠에 떠밀려서 지옥이 흐르고, 모든 생존의 분자(分子)의 원자(原子)의 전자(電子)가 흐른다. 일체(一切)가 흐른다. 내가 흐른다.

도도(滔滔)한 물결은 시야(視野)를 메운 끝에, 내 손으로 흘러들어온다. 내 마음의 밑바닥, 천만년 유순(由旬)을 내려가야 하는 그 밑바닥, 위치(位置)만 있고 크기라곤 없는 한 점(點)으로 흘러들어온다. 그리고는 다시 그 점(點)으로부터 도도한 물결되어 흘러나가고 있다. 산이 흐른다. 성좌(星座)가 흐르고, 달

나라 항아(姮娥)가 흐르고, 불타(佛陀)가 흐르고, 필경공(畢竟空)
이 흐른다. 일체가 흐른다. 내가 흐른다.

 시작노트

　천주교에 깊은 구상 시인의 시 「말씀의 실상」과 유도와 불교에
깊은 이원섭 시인의 시 「山上에서」를 감상하였다. 이 두 편의 시는
모두 인생과 우주에 관한 존재론과 인식론을 생각하게 하는 비범
성을 보여주고 있다. 「말씀의 실상」은 존재의 전 영역, 그러니까
'말씀'으로 표현되는 절대적인 원존재자와 자아와의 관계에 있어
서 특별한 깨달음이 주어지고 있다면, 「산상(山上)에서」는 동양적
인간형에 주어지는 호연지기(浩然之氣)라든지, 대장부의 툭 터진 기
개가 엿보인다.

　이 두 시인이 종교적 상상력을 발휘하지 않았다면 이러한 시는
탄생하지 않았을 것이다. 현실 이상의 어떤 높은 차원의 경지를 나
타내는 시의 생산을 위해서는 이러한 예와 같이 종교적 상상의 세
계에서 생산적 상상을 통하여 형상화하지 않으면 안 된다.

어느 지역地域

장영창

태양에
거울을 대지 말라.

어제저녁엔
달빛이 오다가 죽더라.

고양이가
바람을 먹는다.

얼굴이 검은 어린아이는
떨어진 걸레 바지를 입고

대로 만든 활로
붉은 태양(太陽)을 쏘아버렸다.

어느 지역은 물론 우리 한국을 상징한 말이다. 일제(日帝) 때에는 한국(韓國)이라는 이름으로 시(詩)를 쓸 수 없었다. 그만큼 우리는 약했고, 불쌍했고, 슬프고, 불운했던, 얼굴이 검은 어린애였다.

저고리가 없어서, 떨어진 바지만을 입고 살아야 했던 불우한 소년이었다. 달빛이 내려오다가 죽는 것 같이 보이지 않을 수가 없었고, 야옹거리는 고양이가 바람조차도 미워 먹어 삼켜버리려는, 그러한 얄궂은 고양이 같이 보이지 않을 수 없었다.

그러나 그 불우한 소년은 그냥 있을 수 없었다. 불가피하게 대(竹)로라도 활을 만들어 가지고 그 무엇을 표적하는 것이 아니라, 지구에다 생명의 빛을 내려 쪼이고 있으면서도, 유득히 우리 한국에는 그 빛을 내려주지 않는 것처럼 보이는 태양을 겨누지 않을 수 없었다.

〈장영창 글〉

검은 평화

장영창

무지개 아래—
한가새 꽃을 밟고
나는 털이 검은 들개가 되고 싶다.

허리뼈로 시간과 세기(世紀)를 감촉하는
개가 아니고

애장터 가시나무 빨간 딸기 뒤로
퍼렇게 흘러오는 강물을 목쇠게 짖고

연기(煙氣) 검게 올리며 타버린 사당(祠堂)터 재를
주둥이로 네 발로 피나게 허쳐 뿌리고 뿌리고

햇빛 쓰고 호수 물 부풀어 비치는
장끼의 슬픈 목털을 물어 흔들고 나서

나는 먼 들 끝

홀로 귀 기울이고 바람 속에 앉아

사람의 울음소리를

눈감아 듣고 싶어라.

시작노트

　제2차 세계대전이 끝나고 우리는 일제에서 해방되었다. 평화가
온 것이다. 그러나 내가 태어났고 또 내가 자랐던 집이 농민들의 폭
동에 의해서 산산이 파괴되고 마는 그런 비운을 맛보아야 했다.

　부농이라는 게 탓이었다. 해방 후에 흔히 있었던 일이다. 해방
후의 평화라고 하는 것이 나에게 있어서는 『검은 색깔』이 되고 말
았다. 나는 인간이 아니라 차라리 개가 되고 싶었다. 개중에서도 사
람과 아무런 관계가 없는 들개가 되고 싶었다. 그리고 심한 가시가
붙은 한가새 꽃을 밟고 견뎌보고 싶었다.

　그러한 자리에서 인류의 역사를 더듬어보고 싶었다. 왜 인간이
인간을 해치고, 인간이 인간을 죽여야 하는가를 깊이 사색해 보고
싶었다. 서로 해치고 죽이는 마당에서 장끼의 아름다운 목털과 같
은 것을 감상할 여유가 생길 리 없다. 차라리 아름다운 것을 물어
흔들고 싶었다.

　이처럼 사람이 지나치게 불행하게 되면 자기보다 더 불행한 모
습을 보고 자위를 느끼고 싶어 하는 것일까. 여하튼 나는 인간의 진
정한 울음소리를 들어보고 싶었다. 들개처럼 바람 속에 앉아서…

　그리고 누군가 "울음이 진리"라고 한 말을 되새겨보고 싶었다.

〈장영창 글〉

수월관음도 水月觀音圖

정진규

고려 佛畵 水月觀音圖를 보러 갔다 다른 건 보이지 않고 그 분의
맨발 하나만 보였다 도톰한 맨발이셨다 그런 맨발을 나는 처음
보았다 연꽃 한 송이 위에 놓이신 그분의 맨발, 요즈음 말로 섹시
했다. 열려 있었다 들어가 살고 싶었다 버릇없이 나는 만지작거
렸다 1310년, 687년 전에도 섹시가 있었다 419.5 X 245. 2! 장대하
셨으나 장대하시지 않음이 거기 있었다. 당신을 뵈오려고 전생
부터 제가 여기까지 맨발로 걸어왔어요. 제 맨발은 많이 상해 있
어요. 말하려 하자 그분의 손이 내 입술 위에 가만히 얹히었다
무슨 뜻이셨을까 돌아오는 길 나는 가슴이 답답했다. 함께 갔던
미스 김과 차를 마시면서 혼자 중얼거렸다 당신을 뵈오려고 전
생부터 제가 여기까지 맨발로 걸어왔어요. 그게 화근이었다 순
간! 미스 김이 관음보살이 되고 말았다 지울 수 없었다. 미스 김
은 나를 굳게 믿었다 그 날 이후 나는 관음보살 한 분을 모시고
살게 되었다. 내 사는 일이 이 지경이 되고 말았다 맨발로 나를

마음대로 걸어다니시는 감옥 하나 지어드렸다. 실은 관음보살
께서 미스 김이 되셨다.

🖐️ 시작노트

정진규(鄭鎭圭) 시인의 이 시(수월관음도)에서는 미스 김과
함께 관음보살상을 보다가 섹시하게 보이는 맨발에서 성속
(聖俗)을 넘나들다가 미스 김이 관음보살이 되고, 관음보살께
서 미스 김이 되므로 이 시인과 미스 김 사이에 무슨 썸씽이
요지부동하게 된 게 아닌가 하는 의구심을 갖게 하는 '수월관
음도', 또는 무비 카메라의 이동촬영처럼 선명하게 촬영해나
가는 사색에 빠져들게 한다.

숲으로 가리

최은하

숲으로 가리.
우리 사랑이 자리 잡을 때
얼싸안고 숲으로 가리.
숲속으로 걸어 걸어서
들어서서는 황혼을 맞으리.
돌아올 길을 잃으면 더없이 좋으리.

나의 사랑이 꽃인갑다 싶을 때
그 불씨 옥여안고 숲으로 가리.
숲속으로 들어가선 아침을 맞으리.
바다나 강이 보이는 숲속에서 눈을 뜨리.

숲으로 가리.
우리네 사랑이 어두워지기 전에

눈 내리는 겨울 숲, 숲으로 가리.
숲속으로 깊이 들어
교회당의 종소리 들으리.
내 맨 처음과 마지막의 기도를 떠올리리.

오늘 하루가 다 가기 전에
까마귀 떼 우짖다 잠든 숲으로 가리.
숲속으로 들어가서 나도 잠들으리.
허구한 꿈속의 꿈으로 고이 잠들으리.

숲으로 가리.
이 세상 태어나 배우고 익힌
사랑이란 말 허뜨려버리기 전에
이제 어둡게 우거진 숲으로 가리.
숲속에서 숲과 함께 바람을 맞아
사라지는 바람이 되리.
한줄기 바람 소리로 남으리.

최은하(崔銀河) 시인의 시(숲으로 가리)다. 감상하는 데는 어렵지 않겠지만, 더러 은폐한 게 있어서 눈치채야 할 게 보인다. 가령 "돌아올 길을 잃으면 더없이 좋으리."라거나 "교회당의 종소리 들으리.", 그리고 마지막 결구인 "사라지는 바람이 되리. - 한줄기 바람소리로 남으리."가 그것이다. "돌아올 길을 잃으면 더없이 좋으리."라고 했는데, 왜 좋을까? 사랑하는 사람과 함께 있다고 가정하고 독자의 상상에 맡긴다. 그다음 "교회당의 종소리 들으리."는 이 시인이 기독교인이기 때문에 인생의 중요한 생사 문제에는 종교를 찾기 마련이다. 그래서 마지막에는 "사라지는 바람이 되리. - 한 줄기 바람 소리로 남으리."라고 아름다운 종명(終命)이기를 바라고 있다. 이 시는 아름다운 사랑과 죽음을 표현하고 있다.

날개옷

유안진

작은 애를 업고
큰 애 손을 잡으면
천방지방(天方地方) 어디로든
날아가고 싶어라.

하늘 아래
하늘 위에
달나라 별나라로
꿈에도 본 적 없는
날개옷이 그리워
철딱서니 없이
서성대는 나의 중년(中年).

유안진(柳岸津) 시인의 시「날개옷」이다. 구전으로 전승되어 내려온「선녀와 나무꾼」설화에서 착상을 얻어 패러디한 작품이다. 두 아이를 둔 중년 여인으로서의 내면의식을 표현한 작품이다. 두 아이의 어머니인 중년 여인으로서 이와 같은 시상(詩想)을 떠올린 그 동기는 '선녀와 나무꾼' 설화에서였다.

그것은 현실을 초탈하고자 하는 이상향의 꿈꾸기다. 이상향의 꿈꾸기, 그것은 아이 셋을 낳기 전에는 그래도 포기하지 않고 하늘로 날아오르고자 하는 '날개옷'의 소유자, 선녀로서의 '꿈꾸기'를 의미한다. 이러한 꿈꾸기는 허망한 공상이 아니라 구체적 형상화를 통해서 시작품이라는 새로운 가상적 현실 속에서 추구하는 시적 이상이라 하겠다.

사람은 누구를 막론하고 이상을 추구한다. 현실 사회에서 흔히 체험하게 되는 일시적인 가변적 행복이나 사랑이 아닌, 영원불변의 절대 행복, 절대 사랑을 추구한다. 그러나 이것은 모든 인간이 갖게 되는 희망사항에 불과하다. 이러한 희망, 이러한 꿈이 있기에 사람은 정신세계에서 상상의 감주(甘酒)를 즐기게 되는지도 모른다.

이「날개옷」에는 일상적 현실에서 초탈하고자 하는, 즉 '하늘'이라는 지극히 높은 공간의식이 상징하는 이상 추구의 상승의식(上昇意識)이 선명하게 나타나 있다. 이 시의 결구(結句)에 "철딱서니 없이 서성대는 나의 중년"이라 표현한 것은, 마치 무지개를 잡으려는 듯한 환상에서 현실의식으로 돌아온 자각을 의미한다. 선녀의 날개옷을 입고, 이상세계로 날아가고 싶어 하다가 겸연쩍어하는 중년 여성의 심리가 여실히 드러나는 부분이다. 이 시가 공감을 주는 까닭은, 모든 사람이 갖는 보편적 진리가 여기에 내재해 있기 때문이다.

사리숨利

유안진

가려 주고
숨겨 주던
이 살을 태우면
그 이름만 남을 거야
온몸에 옹이 맺힌
그대 이름만

차마
소리쳐 못 불렀고
또 못 삭여낸
조갯살에 깊이 박힌
흑진주처럼

아아 고승(高僧)의

사리(舍利)처럼 남을 거야

내 죽은 다음에는.

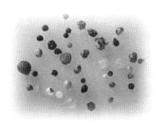

　유안진(柳岸津) 시인의 시 「사리」다. 이 시인은 어떠한 대상을 향
한 지극한 사랑이라 할까, 절대적이며 숭고한 집념을 지니고 있음
을 알 수 있다. 그 사랑과 집념은 시인 자신에게 고승들이 입적(入寂)
후에 남기는 사리 같은 결정체일 것이라는 착상과 표현이 시를 돋
보이게 한다.

눈물

최문자

어릴 적 외할머니가 이불 빨래하는 날은
뒷마당에서 잿물을 내렸다.
금이 간 헌 시루 밑에서 뚝뚝 떨어진
재의 신음 소리 / 꼭 독한 년 눈물이네.
열아홉에 혼자된 외할머니 독한 잿물에
덮고 자던 유년의 얼룩들은 한없이 환해지면서
뒷마당 가득 흰 빨래로 펄럭였다.
하나님은 내가 재가 되기를 기다렸다.
하루종일 재가 되고 났는데도
아직 남아 있는 뭔가 있을까? 하여
쇠꼬챙이로 뒤적거리며 나를 파 보고 있었을 때
재도 눈물을 흘렸다. / 어제의 재에다
새로 재가 될 오늘까지 얹고
독한 잿물을 흘렸다.

조금도 적시기 싫었던 사랑까지

한없이 하얘져서

세상 뒷마당에 허옇게 널려있다.

재는 가끔 꿈틀거렸다.

독한 눈물을 닦기 위하여.

시작노트

　최문자(崔文子) 시인의 시(눈물)다. 여기에서의 '눈물'은 독한 눈물인 동시에 인생을 빨래하는 눈물이라 하겠다. '잿물'도 마찬가지다. 그 독한 잿물도 역시 세탁물을 세탁하는 재료인 동시에 '인생의 빨래'를 의미하기 때문이다. 여기에서의 "꼭 독한 년 눈물이네."라고 할 때는 물론 외할머니 자신을 가리키는 말이다. 여기에서의 '눈물'과 '잿물'은 동일시되고 있다. 그것은 고난을 통하여 인생을 빨래한다는 지순한 의지를 내포하고 있기 때문이다.

　열아홉에 혼자된 외할머니가 절개를 지키며 딸을 길러온 과정이 얼마나 눈물겨웠겠는가 하는 고난의 한 끝자락이 내비쳐지기도 한다. 여기에서의 '재'는 '빨래'의 재료다. 그리고 그것은 눈물과도 연결된다. "재도 눈물을 흘렸다."는 얘기는 독한 재가 눈물이라는 고난과 순화를 통하여 거듭난다는 얘기가 되겠다.

　만고풍상을 겪은 후에 잿물 빨래처럼 거듭나서 뒷마당 가득 흰 빨래로 펄럭이는 것처럼, 고난을 통과한 연후의 하얗게 바래지는 모습은 최고선(最高善)의 상징이라 하겠다.

고장난 시계

권운지

고장 난 시계를 고치려고 시계점엘 들렸더니 잃어버린 시간이 그곳에 다 있었다. 그 집 주인은 낡은 내 시계를 열어 보더니 건전지를 갈아 끼워야 한다고 했다. 내 시계의 건전지를 갈아 끼우는 동안 그 집의 뻐꾸기 시계가 뻐꾹, 뻐꾹 크게 울었다. 아슴푸레 뻐꾸기 소리를 따라가다가 나는 그만 길을 잃고 만다. 뻐꾸기 소리의 길은 고장 난 시계 속의 길, 그 길은 小路다. 나는 몸을 구부려 그 길로 들어섰다. 긴긴 회랑 끝에서 한 아이가 걸어 나왔다. 산 밭으로 가는 길에는 우유빛 안개가 끼어 있고 아직은 찔레순이 여리다. 찔레순을 잡는 아이의 손등에 투명한 이슬이 맺혔다. 주인은 웃으며 야구르트를 권한다. 야구르트의 빨대 속으로 찔레꽃 향기가 빨려 나왔다. 주인은 가느다란 핀셋으로 낡은 내 시계 속에서 찔레꽃 한 잎을 들어 냈다. 내 시계의 건전지를 갈아 끼우는 동안 내가 만난 아이의 몸에는 찔레꽃이 피고 있었다. 꽃피는 시간 속으로, 시간을 맞추어 드릴까요? 건전지를 교환한 내 시계를 그 집 주인이 건네줄 때 뻐꾸기 소리의 밖으로 문을 열고 나오지만 나는 다시 길을 잃는다.

시작노트

권운지의 시「고장난 시계」다. 설명문처럼 쓴 산문시이지만, 여기에서는 단순히 설명에 그치지 않고 무엇인가를 암시하고 있다. '고장난 시계'와 '잃어버린 시간'이라는 현실적인 상태는 '길을 잃어버린 나'와 '고장 난 시계 속의 길'로 들어섰다가 '다시 길을 잃는다'로 결말짓는 입체적 암유로 가리어져 있음을 알 수 있다. 이 시에서는 생산적 상상을 종횡무진으로 굴려서 어떤 입체적 의미를 나타내려는 의도가 내비치고 있다. 이 시는 설명되어있으면서도 단순하게 설명하는 게 아니라 의미의 세계를 천착하는 묘미를 보이고 있다.

목재소에서

박미란

고향을 그리는 생목들의 짙은 향내
마당 가득 흩어지면
가슴속 겹겹이 쌓인 그리움의 나이테
사방으로 나동그라진다.

신새벽,
새떼들의 향그런 속살거림도
가지 끝 팔랑대던 잎새도 먼 곳을 향해 날아갔다.
잠 덜 깬 나무들의 이마마다 대못이 박히고
날카로운 톱날 심장을 물어뜯을 때
하얗게 일어서는 생목의 목쉰 울음

꿈속 깊이 더듬어보아도
정말 우린 너무 멀리 왔어

눈물처럼

말갛게 목숨 비워 몇 밤을 지새면

누군가 내 몸을 기억하라고 달아놓은 꼬리표

날마다 가벼워져도

먼 하늘 그대,

초록으로 발돋움하는 소리 들릴 때

둥근 목숨 천천히 밀어 올리며

잘려지는 노을

어둠에도 눈이 부시다.

🖊 시작노트

    박미란의 시 「목재소에서」는 1995년 조선일보 신춘문예에서 당
선된 작품이다. 목재소의 생목들이 의인화되고 있다. 숲속의 나무
들이 베어져 실려 와서 도시의 목재소에서 켜지고 나동그라지기까
지의 과정을 세밀하게 그려가면서 자각하는 생명의 슬픔과 환희를
담담하게 묘사하고 있다. 이 아름다운 작품 속에는 문명의 상처를

다스리는 사물들에 대한 짙은 애정이 스며있다.

대자연의 숲속에서 생장하던 나무가 도시 산업사회의 기계문명에 대칭되는 목재소에서 판자나 각목으로 켜지고 나동그라진다는 것은 오늘날 문명사회의 처절한 인간의 실상을 나타낸다. 목재소에서는 원목을 쇠갈고리로 찍어서 끌어당기는 사람과 그것을 배로 밀어내는 사람에 의해서 원목이 켜지게 된다. 예수의 십자가에서처럼 대못이 박히는 것으로 볼 수도 있고, 날카로운 원형의 톱날에 심장이 물어 뜯긴다고 느낄 수도 있다.

그리고 원목이 켜질 때마다 톱밥이 날리면서 내지르는 원목들의 목쉰 울음소리로 실감할 수도 있다. "꿈속 깊이 더듬어보아도─정말 우린 너무 멀리 왔어"라는 구절에서 우리는 실향의 아픔과 시간과 공간적으로 너무도 멀리 떨어져 나온 본향에 대해서 절절한 그리움을 토로하고 있다는 사실을 눈치채게 된다.

숲속에서 베어져 실려 온 원목에 철인이 찍히고, 원목이건 각목이건 제재 과정 전후에 꼬리표가 붙듯이 인간은 소속되고 규정되기 마련이다. 원목처럼, 각목처럼, 판자처럼 규정되면 개성은 색이 바랠 수밖에 없다. 똑같이 규정된 무개성의 인간은 소외되기 마련이다.

이 시는 도시 문명을 구가하는 산업사회에서 잘려지고, 대못이 박히고, 켜지고, 나동그라지는 그 처절한 소외지대에서도 마지막 아름다움을 찾아 세우려는 의지를 보이고 있다. 그것은 마지막 결구(結句), 즉 "잘려지는 노을─어둠에도 눈이 부시다"는 구절이다. 예수가 마지막 십자가를 통해서 영적으로 부활했듯이, 이 시는 절망적인 상황에서도 사랑과 슬픔을 통하여 "잘려지는 노을"이라는 아름다운 순간의 영원을 포착하고 수용한 작품이라 하겠다.

난쟁이행성 134340에 대한 보고서

도미솔

명왕성이 태양계에서 퇴출됐다.

수금지화목토천해명의 끝별 명왕성은

난쟁이 행성 134340번이란

우주 실업자 등록번호를 받았다.

그때부터 다리를 절기 시작한 남편은

지구에서부터 점점 어두워져 갔다

명왕성은 남편의 별

그가 꿈꾸던 밤하늘의 유토피아

빛나지 않는 것은 더이상 별이 될 수 없어

수평선 같았던 한 쪽 어깨가 기울어

그의 하늘과 별이 주르륵 흘러내렸다.

그는 꿈을 간직한 소년에서 마법이 풀린

꿈이 없는 중년이 되어버렸다.

명왕성은 폐기된 인공위성처럼 떠돌고

남편의 관절은 17도 기울어진 채 고장이 났다.

상처에 얼음주머니 대고 자는 불편한 잠은
불규칙한 삶의 공전궤도를 만들었다.
이제 누구도 남편을 별이라 부르지 않는다.
알비스럼 낙센에프정 니소론정
식사 후 늘 먹어야 하는 남편의 알약들이
그를 따라 도는 작은 행성으로 남았다.
남편을 기다리며 밝히는 가족의 불빛과
아랫목에 묻어둔 따뜻한 밥 한 그릇이
그의 태양계였으니, 늙은 아버지와
아내와 아들딸을 빛 밝은 곳에 앞세우고
그는 태양계에서 가장 먼 끝 추운 곳에서
밀려나지 않기 위해 노예처럼 일했을 뿐이다
절룩거리고 욱신거리는 관절로
남편은 점점 작아지며 낮아지기 시작했다
그도 난쟁이별로 변하고 있는지 모른다
그가 돌아오는 길이 점점 멀어진다
그가 돌아오는 시간이 점점 길어진다
그 길을 작아진 그림자만이 따라오는데
남편은 그 그림자에 숨어 보이지 않는다
지구의 한 해가 명왕성에서는 248년
그 시간을 광속에 실어 보내고 나면
남편은 다시 별의 이름으로 돌아올 것이다

　이 시는 2009년 국제신문 신춘문예 당선작이다. 이 작품은 1930년에 발견한 이후 태양계의 9번째 행성으로 지위를 유지해 오다가 2006년에 그 지위를 잃게 된 명왕성을 소재로 다룬 시다. 태양계의 행성에서 소행성으로 전락한 명왕성을 통해 사회에서 낙오된 남편의 아픔을 대변하는 시라는 점이 특징이라 하겠다.

　명왕성과 남편을 동일시하여 충격과 아픔 등의 절망적 요소를 잘 엮어나가면서 지구의 한 해가 명왕성에서는 248년, 광속으로 실어 보내면 남편은 명왕성과 함께 돌아올 것이라는 간절한 아내의 꿈이 감동을 준다. 명왕성을 끌어들여 퇴출한 중년 남편의 이야기를 풀어간 점이 압권이라 하겠다. 다만 같은 낱말의 반복에도 불구하고 이 시를 높이 다룬 까닭은 탄탄한 제재의 힘이라 하겠다.

감잎 엽서

임미옥

감잎 낙엽 한 장
벤치에 앉아 쉬고 있다.

귀퉁이가 움푹 벌레에 갉혔고
골 붉은 다홍에 드문드문 카키색
서너 군데 바람에 할퀸 상처를 지녔다.

바람보다 멀리 떠나고 싶었으며
햇볕만큼 따사롭게 머무르길 원했으나
바람에게 무심과 체념을 배우고
햇빛에 사랑과 감사를 익혔다.

모순을 끌어안고 살아온
치열한 불꽃이 한 장

먼 길에 가쁜 숨을 고르고 있다.

바람과 햇빛을 사모했던 시인이
적갈색 코트를 걸친 채
마지막 시상(詩想)을 고르고 있다.

 시작노트

　　임미옥(林美玉) 시인의 시 「감잎 엽서」다. 이 시는 평범한 소재에 비범한 주제로 생명을 불어넣은 작품이라 하겠다. 이 시인은 벤치에 떨어져 있는 감잎을 보면서 시상을 떠올린다. 벌레에 갉혔고, 바람에 할퀸 상처를 보고 자신의 삶에 대비한다. 인생이란 고락을 떠나 살 수 없기에 원망과 감사, 애증이 교차하기 마련이다. 이 시의 절정은 "모순을 끌어안고 살아온 - 치열한 불꽃이 한 장 - 먼 길에 가쁜 숨을 고르고 있다."가 되겠다.

생활生活이 모자라는 까닭

가정家庭

이 상

문(門)을 암만 잡아다녀도 안 열리는 것은 안에 생활(生活)이 모자라는 까닭이다. 밤이 사나운 꾸지람으로 나를 조른다. 나는 우리 집 내 문패(門牌) 앞에서 여간 성가신 게 아니다. 나는 방 속에 들어서서 제웅처럼 자꾸만 감(減)해 간다. 식구(食口)야 봉(封)한 창호(窓戶) 어디라도 한구석 터놓아다고 내가 수입(收入)되어 들어가야 하지 않나 지붕에 서리가 내리고 뾰족한 데는 침(鍼)처럼 월광(月光)이 묻었다. 우리 집이 앓나보다 그리고 누가 힘에 겨운 도장을 찍나보다 수명(壽命)을 헐어서 전당(典當) 잡히나보다 나는 그냥 문(門)고리에 쇠사슬 늘어지듯 매어 달렸다. 문(門)을 열려고 안 열리는 문(門)을 열려고

   이상(李箱)의 이 시(가정)는 상징과 은유적 언어가 암유에 가리워져 모호하다. 시의 내용은 「오감도(鳥瞰圖)」와 동류다. 「오감도」에서는 13인의 아이가 출구 없는 길을 달린다면, 이 시(가정)는 가장이 열리지 않는 문을 열겠다고 실랑이하는 형국이다.

   생활이 왜 모자라는 것일까. 힘에 겨운 도장을 찍고, 수명을 헐어서 저당 잡히는가. 이 시인은 가장인데, 가정에서나 사회에서나 아무런 힘이 없다. 일제 식민지 치하에서 제대로 운신할 수 없는 심훈은 "조선이 나에게 술을 먹인다"고 소리쳤지만, 이성적인 이상은 말없이 열리지 않는 문을 열려고 실랑이하는 형국으로 표현했다. 가장이 자기 집 문을 열지 못하는 비극이 없고, 이런 아이러니가 없다.

가정家庭

박목월

지상에는
아홉 켤레의 신발,
아니, 현관에는, 아니, 들깐에는
아니, 어느 시인의 가정에는
알전등이 켜질 무렵을
문수가 다른 아홉 켤레의 신발을.

내 신발은
십구 문 반
눈과 얼음의 길을 걸어,
그들 옆에 벗으면
육 문 반의 코가 납작한
귀염둥아 귀염둥아,
우리 막내둥아.

미소하는
내 얼굴을 보아라.
얼음과 눈으로 벽을 짜 올린
여기는
지상,
연민(憐憫)한 삶의 길이여.
내 신발은 십구문 반.

아랫목에 모인
아홉 마리의 강아지야.
강아지 같은 것들아,
굴욕과 굶주림과 추운 길을 걸어
내가 왔다.
아버지가 왔다.
아니, 십구문반의 신발이 왔다.
아니, 지상에는
아버지라는 어설픈 것이
존재한다.

미소하는
내 얼굴을 보아라.

박목월(朴木月) 시인의 시 「가정」의 경우에는 이 시인이 의도하는 바가 독자로 하여 이해하기 수월하도록 명료하게 드러나 있다. 여기에서 박목월 시인은 문수가 다른 아홉 켤레의 신발을 생각하고, 19문 반의 자기 신과 코가 납작한 6문 반짜리 막내둥이 신을 생각한다. 그가 아홉 켤레의 신발을 애지중지하는 동안 굴욕과 굶주림과 추운 신고의 길을 걸어오면서도 아이들에게는 아름다운 미소를 보여주며, 아랫목에 모인 아홉 마리의 강아지야 "미소하는 내 얼굴을 보아라"고 말하는 감격 어린 클라이맥스를 보인다.

이사

원동우

아이의 장난감을 꾸리면서
아내가 운다
반지하의 네 평 방을 모두 치우고
문턱에 새겨진 아이의 키 눈금을 만질 때 풀썩
습기 찬 천장벽지가 떨어졌다.

아직 떼지 않은 아이의 그림 속에
우주복을 입은 아내와 나
잠잘 때는 무중력이 되었으면
아버님은 아랫목에서 주무시고
이쪽 벽에서는 당신과 나 그리고
천장은 동생들 차지
지난번처럼 연탄가스가 새면
아랫목은 안 되잖아, 아, 아버지

생활의 빈 서랍들을 싣고 짐차는
어두워지는 한강을 건넌다(닻을 올리기엔
주인집 아들의 제대가 너무 빠르다) 갑자기
중력을 벗어난 새떼처럼 눈이 날린다
아내가 울음을 그치고 아이가 웃음을 그치면
중력을 잃고 휘청거리는 많은 날 위에
덜컹거리는 서랍들이 떠다니고 있다.

눈발에 흐려지는 다리를 건널 때 아내가
고개를 돌렸다, 아참
장판 밑에 장판 밑에
복권 두 장이 있음을 안다
강을 건너 이제 마악 변두리로
우리가 또 다른 피안(彼岸)으로 들어서는 것임을
눈물 뽀드득 닦아주는 손바닥처럼
쉽게 살아지는 것임을

성냥불을 그으면 아내의
작은 손이 바람을 막으러 온다
손바닥만큼 환한 불빛

이 시(이사)는 1993년 세계일보 신춘문예 당선작이다. 빈궁한 살림을 꾸려가는 가장이 가솔을 이끌고 변두리 지역으로 이사 가는 생활의 한 단면을 포착하여 시화한 작품이다. 여기에서 가장 관심이 가는 곳은 결말 부분이다.

성냥불을 그으면 아내의
작은 손이 바람을 막으러 온다
손바닥 만큼 환한 불빛

이 짧은 언어에 전체적인 작품 의도나 주제가 함축되어 있다. 남편은 '손바닥만큼의 환한 불빛'이 상징하듯, 작은 행복, 소박한 행복을 꿈꾸는가 하면, 아내는 '작은 손이 바람을 막으러 온다'에서처럼 내조하는 의미를 담고 있다.

콩나물을 다듬으면서

이향아

콩나물을 다듬으면서 나는
나란히 사는 법을 배웠다.
좁히고 좁혀서 같이 사는 법
물 마시고 고개 숙여
맑게 사는 법
콩나물을 다듬다가 나는
어우러지는 적막감을 알았다.

함께 살기는 쉬워도
함께 죽기는 어려워
우리들의 그림자는
따로따로 서 있음을.

콩나물을 다듬으면서 나는

내가 지니고 있는 쓸데없는 것들
나는 가져서 부자유함을 깨달았다.

콩깍지 벗듯 던져 버리고 싶은
물껍데기 뿐,
내 사방에는 물껍데기 뿐이다.
콩나물을 다듬다가 나는 비로소
죽지를 펴고 멀어져 가는
그리운 나의 뒷모습을 보았다.

시작노트

　이향아(李鄕莪) 시인의 시 「콩나물을 다듬으면서」다. 이 시는 일
상적인 사물을 통하여 삶의 애환을 터득해 가는 과정을 심도 있게
형상화한 작품이다. 인생에 대한 문제를 심화, 또는 확대와 분석의
과정을 통해서 제기되는 자기 응시에서 본질적 가치를 추구한다.
사물에 대한 이런 인식 능력은 탄탄한 주제의식에 의해 뒷받침되
고 있음을 알 수 있다.
　시적 인식이란 결국 자기가 지닌 만큼 볼 수 있다는 상식과 상통
한다. 이 「콩나물을 다듬으면서」에서 보이는 요소들은 이미 이 시
인의 내부에 있는 주체와 대상 사이의 동질적 요소가 서로 만나게
되어 시적 인식으로 확대한 것이다.

여인

조기호

여인 하나 갖고 싶다.

서양 동냥아치 같은 겉멋에
이발난초로 홀랑 까진 여자 아니고

온 마을
봄 익을 때

놋요강에도 소리 없이
소피볼 줄 아는 여인

청치마 단속곳마냥
이파리 깊은 곳에

다소곳이 숨어 피는

감꽃 같은 사람

그런 꽃 하나 깨물어보고 싶다

 시작노트

　조기호(趙紀浩) 시인의 시 「여인」이다. 조기호 시인은 이 시에서
창조적(생산적) 상상으로 시의 단술을 즐기고 있다. 에둘러 표현하
기보다는 직설적이고 관능적인 감각을 살려내고 있다. 그러면서
도 다소곳한 여인을 유추하고 있다. 그가 그리는 여인은 "놋요강에
소리 없이 소피보는 여자"다. 인간은 물론 생리적인 면을 떠나서 살
수 없거니와 인격적인 면을 떠나서도 살 수 없게 되어있다.

　누구든지 놋요강에 소피를 보면 소리가 나게 마련이다. 그러나
이 시인은 여인이 오줌을 눈다 할지라도 소리가 나지 않을 정도로
'다소곳한' 여인, 정숙한 여인을 희구하고 있다. 이것은 현실적인
설정이 아니라 어디까지나 상상의 세계에서의 감주(甘酒)라 하겠
다. 이 시인은 시어에서 단술을 즐기는 셈이다.

신발論

마경덕

2002년 8월 10일

묵은 신발을 한 보따리 내다 버렸다.

일기를 쓰다 문득, 내가 신발을 버린 것이 아니라 신발이 나를 버렸다는 생각을 한다. 학교와 병원으로 은행과 시장으로 화장실로, 신발은 맘먹은 대로 나를 끌고 다녔다. 어디 한 번이라도 막막한 세상을 맨발로 건넌 적이 있는가. 어쩌면 나를 신고 파도를 넘어온 한 척의 배. 과적(過積)으로 선체가 기울어버린. 선주인 나는 짐이었으므로, 일기장에 다시 쓴다.

짐을 부려놓고 먼 바다로 배들이 떠나갔다.

마경덕(馬敬德) 시인의 「신발論」이다. 이 시는 2003년 세계일보 신춘문예 당선작이다. 묵은 신발들을 버리면서 발상의 전환을 가져오게 된다. 그것은 지은이가 신발을 버리는 게 아니라 신발이 지은이를 버렸다는 생각이다. 그런 착상이 어떻게 떠올랐을까? 신발의 처지에서 보면, 과적을 힘겹게 감당해 왔다는 생각이 드는데, 그 점이 경이롭다. 이 시를 살펴보면, 지은이가 신발처럼 무거운 십자가를 지고 살아왔음을 알 수 있다. 그로 말미암아서 신발이 과적을 감당해 온 것으로 유추할 수 있다. 화자가 그런 과적의 경험을 하지 않고는 과적의 신발이 보이지 않기 때문이다.

저녁을 지으며

김원명

진종일 시(詩) 밭을 쏘다니다가
어두움이 탱탱하게 당기는 저녁 길,

쌀통에서
딱 한 끼니만큼의
모래알 같은 쌀을 퍼
쿠쿠에 넣고
뻐꾸기 울기만을 기다리는데
서쪽 하늘 개밥바라기
오래도록 몸에 배어 있는 허기를
그윽한 눈길로 내려 보고 있다.

언젠가 꼭 다시 만나야 하는
우리, 빈 둥지에 그리움만 가득한 채

한 번도 붙이지 못해 쌓아둔

억새꽃 손짓 같은 수많은 시(詩)

오늘 밤은

그 시를 가득 끌어안고 은하를 건너는

한 척의 배이고 싶다.

끝내는 빛으로

너를 찾아가는 별이고 싶다.

 시작노트

　부인을 저 세상으로 보내고 이승에 남은 시인이 아내를 그리워
하며 쓴 시다. 진종일 부인에게 바칠 시를 찾아 쏘다니다가 돌아와
저녁을 짓는데, 어둠별이라는 금성 쪽에서 부인께서 안쓰러운 눈
길로 내려 보는 것으로 느끼게 된다. 부인도 없이 혼자서 저녁을 짓
는 남편이 얼마나 측은해 보이겠는가. 청춘 시절에는 항만청장까
지 지낸 분이 어설프게 보일 수도 있다. 이 시는 결국 부인에게 바치
고 싶은 "시를 가득 끌어안고 은하를 건너는 한 척의 배이고 싶다."
로 마무리한다. 아내의 곁으로 찾아가는 별이고 싶은 바람이다. 이
런 심정이면 절대 사랑이라고 할 수 있을 것이다.

동심童心과 시심詩心

영국의 시인 윌리엄 워즈워스는 「무지개」라는 시에서 "어린이는 어른의 아버지"라고 썼다. 천진난만한 어린이는 지극히 순수하기 때문이다. 그래서 어린이가 죽으면 하늘나라 천사가 된다는 말도 있다.

성서에는 예수께서 "너희가 어린아이들과 같이 되지 아니하면 천국에 들어가지 못하리라"고 했다. 어린이에게는 속세의 티끌이라는 속진(俗塵)이 들어있지 않기 때문이다. 세속의 먼지가 많이 낀 사람은 시와 거리가 먼 사람이다.

시를 쓰거나 감상하기 위해서는 공자의 말처럼 사무사(思毋邪), 즉 사특함이 없는 동심으로 돌아가야 한다. 동양인으로서 최초로 노벨문학상을 수상한 인도의 라빈드라나드 타고르의 시는 동심(童心)으로 차 있다. 과연 그럴까?

날이면 날마다 나는 종이배를 흐르는 물 위에
하나씩 떠내려 보냈습니다.
배에는 크고 검은 글자로 내 이름과 사는 마을 이름을 써놓았습니다.
낯선 고장 어느 누구든 배를 보고 내가 누군지를 알기를 바랐습니다.

내 조그만 배에는 우리 꽃밭에서 꺾어온 슐리꽃을 심었습니다.

그리하여 이 새벽의 꽃이 밤의 나라로 - 무사히 실려 가기를

바랐습니다.

내 종이배를 띄워놓고 하늘을 유심히 보니

구름 조각들이 흰 돛을 펴고 가는 것을 보았습니다.

하늘에 있는 나와 같은 어떤 장군들이 구름 조각을 띄워

공중에다 날려 보내며 내 종이배와 경주를 하려고 하는지 모

르겠습니다.

밤이 되면 나는 - 양팔에 얼굴을 묻고 내 종이배와 한밤중

별 밑으로 떠나고 떠나는 꿈을 꿉니다. - 잠의 선녀들이 종이

배를 젓고 있습니다.

선녀들의 잠은 - 광주리에 잔뜩 담은 꿈이었습니다.

- R. 타고르의 시 「종이배」

 시작노트

　이 시는 동심 어린 천진성과 함께 미래에 있을 미지의 세계에 대
한 소망스런 동경의 꿈이 시로 형상화되어 있다.

엄마야 누나야

김소월

엄마야 누나야 강변 살자.
뜰에는 반짝이는 금 모래빛,
뒷문 밖에는 갈잎의 노래,
엄마야 누나야 강변 살자.

 시작노트

　김소월(金素月) 시인의 시다. 『개벽』(19호, 1922. 1) 지에 발표한 이
시(엄마야 누나야)는 자연에 대한 순진무구한 동경을 진솔하게 표
현함으로써 청각적 음향의식을 일깨우면서 그리움을 증폭시키는
작품이다. 강변이라는 아름다운 자연을 배경으로 그리워하는 동
심이 진솔하게 살아나고 있다. 이 시인이 엄마와 누나와 함께 살고
자 하는 강변은 평화와 행복을 보장하는 꿈의 보금자리임을 실감
하게 한다.

나의 시詩

서정주

어느 해 봄이던가, 먼 옛날입니다.

나는 어느 친척(親戚)의 부인을 모시고 성(城)안 동백(冬柏)꽃나무 그늘에 와 있었습니다.

부인은 그 호화로운 꽃들을 피운 하늘의 부분이 어딘가를 아시기나 하는 듯이 앉아계시고, 나는 풀밭 위에 흥근한 낙화(落花)가 안씨러워 줏어모아서는 부인의 펼쳐든 치마폭에 갖다 놓았습니다. 수 없이 그짓을 하였습니다.

그뒤 나는 年年히 서정시(抒情詩)를 썼습니다만 그것은 모두가 그때 그 꽃들을 주서다가 디리던 그 마음과 별로 다름이 없었습니다.

그러나 인제 웬일인지 나는 이것을 받어줄 이가 땅 위엔 아무도 없음을 봅니다.

내가 줏어모은 꽃들은 제절로 내손에서 땅우에 떨어져 구을르
고 또 그런 마음으로밖에는 나는 내 시(詩)를 쓸수가 없습니다.

시작노트

　평범 속의 비범이다. 특별한 형식적인 구성미에 신경을 쓰지 않
으면서도 시를 이루는 까닭은 그의 순후한 정서에 있다. 순후한 정
서가 강세를 보이기 때문이다. 서정주(徐廷柱) 시인의 이 시에는 우
아미(優雅美)를 지닌 친척 부인에 대한 소년의 특별한 정서가 은근히
내비치고 있다. 그리고 그 정서는 평생을 경영해 온 시업(詩業)과 연
결되고 있다. 은근하게 고여있는 정서를 넌즈시 약간씩만 내비침
으로써 독자로 하여금 궁금증과 함께 일종의 신비의식을 자아내게
하고 있음을 본다.

외할머니의 뒤안 툇마루

서정주

외할머니네 집 뒤안에는 장판지 두 장 만큼한 먹오딧빛 툇마루가 깔려있습니다. 이 툇마루는 할머니의 손때와 그네 딸들의 손때로 날이날마다 칠해져 온 것이라 하니 내 어머니의 처녀 때의 손때도 꽤나 많이 묻어 있을 것입니다마는, 그러나 그것은 하도나 많이 문질러서 인제는 이미 때가 아니라, 한 개의 거울로 번질번질 닦이어져 어린 내 얼굴을 들이비칩니다. 그래, 나는 어머니한테 꾸지람을 되게 들어 따로 어디 갈 곳이 없이 된 날은, 이 외할머니네 때거울 툇마루를 찾아와, 외할머니가 장독대 옆 뽕나무에서 따다 주는 오디 열매를 약으로 먹어 숨을 바로 합니다. 외할머니의 얼굴과 내 얼굴이 나란히 비치어 있는 이 툇마루에까지는 어머니도 그네 꾸지람을 가지고 올 수 없기 때문입니다.

서정주 시인의 시「외할머니의 뒤안 툇마루」다. 설명하고 있는 미당(未堂) 서정주 시인의 산문시다. 그런데 여기에서는 설명적으로 나타나 있으면서도 시적 요소를 다분히 지니고 있는 게 특색이라 하겠다. 여기에서는 외할머니의 손때와 어머니를 포함한 외할머니의 딸들의 손때가 묻은 툇마루가 나오고, 또 이 사물이 중요한 역할을 한다. 그것은 바로 외할머니와 화자의 얼굴을 비치는 때거울이기 때문이다.

여기에서는 하나의 사물이 설명되고 있으면서도 관념의 나열로 처리되기보다는 '먹오딧빛 툇마루'라든지, '때거울' '장독대' '뽕나무' '외할머니의 얼굴과 내 얼굴' 등의 사물이 구체적이면서도 선명하게 드러나 보이고 있다. 사회환경과 자연환경이 자연스럽게 어울리면서도 마지막에는 때거울에 비치는 두 얼굴이 클로즈업되고 있다.

하늘

정중수

하늘을 닦네요.
새벽마다 일찍 하늘을 닦네요.
순이랑, 철이랑, 남이랑,
마을의 아이들이 훨훨 날아가
푸르게 푸르게 하늘을 닦네요.

공장 연기에
그을린 하늘을
어른들은 모두 잠든 새
온 마을 아이들이
서로서로 하늘을 닦네요.

고운 손으로
푸른 맘으로
호호 입김 불어가며

닦는 하늘
하늘은 아이들의 꿈 모양 티 하나 없이
마을 높이 높이 펄럭이네요.

교실 창유리 닦듯이
매일 매일 새벽에 닦는 하늘,
어른들이 알까요
아침마다 하늘이 푸르르는 까닭을
순이랑, 철이랑, 남이랑,
마을의 아이들이 하늘을 닦네요.

시작노트

　정중수의 시 「하늘」이다. 이 시는 1970년 한국일보 신춘문예에
당선한 작품이다. 동시(童詩)에 가까운 이 작품은 서정시로 끌어올
린 그 순수한 마음 세계와 솜씨가 특이하다. 사상이나 정서가 빈약
하고 메마른 오늘의 시들이 매끄럽지 못한 채 부질없이 어지럽고
까다로워, 그 난해성으로 독자가 외면하는 현실이라든지, 공연히
목에 힘주는 어설픈 풍토에서 이 작품은 시의 원형(原型)을 되돌아
보게 하는 자성(自省)의 기회를 제공하게 될지도 모른다는 생각이
들게 한다. 이 시는 특히 동심(童心)에서 오는 천진난만(天眞爛漫)함이
시의 본질이라고 하는 본향을 생각하게 한다. 현대시가 아무리 실
험과 변모를 거듭한다 할지라도 시의 원형, 그 본질을 외면한다거
나 놓쳐서는 안 되기 때문이다.

저녁연기를 보면

김종원

늦가을
초가지붕에 피어나는
저녁연기를 보면
왠지 눈물이 난다.

어릴 적
가난한 어머니의 옷고름같이
가슴 그득 차오는
밥뜸 냄새.

서울을 떠나 문득
달 뜨는
댓잎 울타리에 이르면
고향 덧니 소년이
하얗게 웃는다.

김종원(金鍾元) 시인의 시 「저녁연기를 보면」이다. 이 시는 "초가 지붕에 피어나는 저녁연기를 보면 왠지 눈물이 난다."고 하였는데, 그 까닭을 밝히지는 않았지만 '밥뜸 냄새' 등의 시어로 봐서 내면세계를 가늠하게 된다.

d 농심農心과 시심詩心

농심과 시심은 동류(同類)다. 착한 마음으로 보면 그렇다. 범위를 달리해서 봐도 그렇다. 가령 시인다운 시인과 농부다운 농부의 진실성은 다르지 않다. 시인다운 시인은 돈이 생기지 않아도 시를 쓰는가 하면, 농부다운 농부는 비료값마저 건지지 못해도 해마다 농사를 짓는다.

농부다운 농부는 엄동설한 농한기(農閑期)가 되면 이듬해에 농사지을 준비를 한다. 사랑방에서 새끼를 꼬아 가마니를 치는가 하면, 곡식을 넣어 말릴 멍석을 만들기도 한다. 그러나 돈을 벌기 위해서 농사짓는 사람은 농한기에 도박하기가 쉽다. 그러다 잘못되어 가산을 탕진하기도 한다.

공기나 햇빛이 값이 없지만, 그게 없어서는 안 되듯이, 시 역시 없어서는 안 된다. 시는 사특함이 없어야 하는데, 정도를 걷지 못하는 이들이 한둘이 아니다.

시가 쓰고 싶어서 시를 쓰는 시인이나 농사를 하고 싶어서 경작하는 농부나 심고 가꾸어서 생산하는 행위는 같다. 왜 시를 쓰고 싶을까. 그것은 시인도 모르지만 천부적으로 지닌 창조성을 발휘하는 것으로 여겨진다. 그래서 시인을 가리켜 무관의 제왕이라고도 한다.

풀베기

이병훈

착한 백성은 온종일
풀을 벤다.
앞 이가 빠진 낫 들고
햇끝을 목에 감고
달끝으로 사타구니를 가리고 사는 백성이
벤 풀을 그 자리에 깔아 뉜다.
살을 포개어 뉜다.
쓰러진 몸으로 들을 덮는다.
풀은 누워서
지나가는 바람의 씨알을 익히며
밑도리의 상채기에서 새순이 돋아나드락
돋아나 풀섶이 되드락 더 산다.

착한 백성은 한평생
자기를 베어 세상에 깐다.

이병훈(李炳勳) 시인의 시 「풀베기」다. 주제의식이 탄탄할 뿐 아니라, 그 구체적 형상화도 자연스럽다. '풀'이라는 사물과 '풀베기'라는 행위를 통해서 착한 백성들의 역사의식이나 사회의식을 순애(殉愛)의 차원으로 승화시키고 있다. 가난한 백성들이 오히려 넉넉한 마음으로 자기를 세상에 희생적으로 깔아 펼친다고 하는 참여 의지를 내비치는 점이 특이하다.

논갈이 2

이병훈

아랫녘에서는
여태껏
빗물을 풀어 쓴다.

지붕으로 받은 빗물을
고샅길에 모아서
고샅길에 흐르는 빗물을
고래실에 모아서
차례차례 풀어 쓴다.

고래실 무논에서 풀려가는 빗물은
물꼬를 넘어 논배미로 갈려간다
논배미에서 논배미로 갈려간다
갈려가면서 너비를 만든다

아랫녘 사람들은

빗물의 고를 풀어 너비를 만들고

그 너비 구석구석을 싸다니며

햇빛을 뿌린다.

🕮 시작노트

　이병훈(李炳勳) 시인의 시〈논갈이 2〉다. 여기에서는 소재를 적절히
활용하여 주제를 살려내고 있다. 여기에서의 주제의식은 결말 부분
에 내비쳐지고 있다. 아랫녘 사람들은 빗물의 고를 풀어 너비를 만
들고, 그 너비의 구석구석을 싸다니며 햇빛을 뿌린다는 귀결이 그
것이다. 여기에는 모자람이 없이 넉넉한 마음을 지닐 수 있는 지혜
가 깔려있다. 아랫녘에서는, 적어도 논갈이를 위한 물 대기에서는
평등 사회가 이뤄지고 있다는 메시지가 확고히 자리 잡고 있다.

벼

이성부

벼는 서로 어우러져
기대고 산다.
햇살 따가와질수록
깊이 익어 스스로 아끼고
이웃들에게 저를 맡긴다.

서로가 서로의 몸을 묶어
더 튼튼해진 백성들을 보아라.
죄도 없이 죄지어서 더욱 불타는
마음들을 보아라, 벼가 춤출 때.
벼는 소리 없이 떠나간다.

벼는 가을 하늘에도
서러운 눈 씻어 맑게 다스릴 줄 알고

바람 한 점에도
제 몸의 노여움을 덮는다.
저의 가슴도 더운 줄을 안다.

벼가 떠나가며 바치는
이 넓디넓은 사랑,
쓰러지고 쓰러지고 다시 일어서서 드리는
이 피 묻은 그리움,

이 넉넉한 힘…….

🖋️ 시작노트

　이성부(李盛夫) 시인의 이 시(벼)는 벼가 의인화되고 있다. 벼를 통한 농부의 마음, 벼를 통한 백성의 마음이 실감으로 내비치고 있다. 그것은 성숙한 마음으로서 이웃 간의 동고동락이요, 공생 공의다. "죄도 없이 죄지어서 더욱 불타는" 백성들의 '피 묻은 그리움'이나 '넉넉한 힘'으로 치열하게 묘사하고 있다.

풋마늘

조기호

겨우 아지랑이 배냇눈 뜬 이른 봄날
외상값 많이 달린 술청에 앉아
손님상에 내보낼 풋마늘을
우리 텃밭에서 한 소쿠리 뽑아다 주겠다며
술집 아가씨를 얼러서
몽땅 훔쳐다 놓고
여릿여릿 톡 쏘는 풋마늘 대궁을
찹쌀고추장에 쿡 찍어
술 한 잔 맛나게 깨무는 판에
수금 나갔다 돌아온 주인 여자
야! 이 썩을 년아
그 화상 낯바닥을 좀 봐라
저 웬수가 텃밭에 마늘 농사 지어먹고 살
위인 짝으로 보이냐?

에라이 오사 서 빼 죽일녀러 가시내야, 쯧쯧쯧
악담을 퍼붓더니만
술상 모서리에 털푸덕 주저앉으며
아, 목말라. 어여 술 따라 이 도둑놈의 화상아
빈 술잔을 불쑥 내미는
저 웃음 베어 문 낯꽃이라니

조기호(趙紀浩) 시인의 시 「풋마늘」이다. 이 시에서는 욕설을 육두문자(肉頭文字)로 퍼붓고 있다. 이제부터의 문세(文勢)는 의기양양하다. 주모의 발성과 속내가 다르게 표현되었다. 그의 속내는 마치 온천수처럼 따뜻한 인정이 흐르지만, 발성은 걸걸한 욕설로 이루어져 있다. 악담도 보통 악담이 아니다. 그러면서도 그 내면에는 다정다감한 인정미가 흐른다.

입으로는 거칠게 욕설을 퍼붓지만, 주모의 행동은 딴판이다. 술상 모서리에 털푸덕 주저앉아 빈 잔을 내밀며 목마르니 어서 술이나 따르라고 한다. 그것도 입가에 웃음을 베어 물면서. 주모가 베어 문 웃음은 술꾼이 아니라도 누구에게든지 곱기만 한 '낯꽃'으로 보일 것이다.

염치 좋은 손님도, 욕하는 주모도, 욕먹는 아가씨도 다 신산한 삶에 부대끼는 사람들이다. 그러나 그들은 어떤 권세가나 부자보다도 여유와 웃음이 있다. 순박하고 인정 많은 착한 민초다. 특히 마늘을 도둑맞고도 웃으며 술 한 잔 따르라고 하는 주모의 모습이 여간내기가 아님을 짐작하게 한다.

이 「풋마늘」이라는 시는 실로 귀여운 욕설이라 하지 않을 수 없다. 마음과 언행이 따로따로 노는 듯하면서도 그 인정 많은 익살이 미묘한 쾌감이라 할까 재미를 돋운다. 이런 자쾌(自快)가 없다.

고향故鄕

장영창

별이 총총 난
여름밤……

돈 천원(千圓)만 누가 준다면
눈알 두 개를 빼 주겠다는 농부(農夫)가 있었다.

 시작노트

　일제하(日帝下)의 우리 민족, 특히 농촌(農村)의 경제적인 빈곤상(貧困相)을 표상(表象)했다. 사실 이러한 일이 있었고, 정 선배 시인은 이 시를 읽고 수없이 울었다고 했다.

e | 동경憧憬의 세계

순수시(純粹詩)를 들고나온 1930년대 당시의 시문학파 구성원은 박용철(朴龍喆), 김영랑(金永郎), 정지용(鄭芝溶), 이하윤(異河潤), 정인보(鄭寅普), 변영로(卞榮魯) 등이었고, 후에 신석정(辛夕汀), 김현구(金玄鳩) 등이 가담하였다. 주로 비정치적인 순수 서정시를 쓴 것이 이들의 특징인데, 이 시문학파의 실질적인 주재자는 박용철이었다.

그는 『시문학』, 『문예월간』, 『문학』 등의 잡지를 발간하여 시문학파 구성원들에게 활동무대를 제공했고, 또 다방면에 걸쳐 한국현대시의 차원을 높이는데 기여하였다. 한국현대시사상 시문학파가 차지하는 위치는 자명하다. 현대시가 그들에 이르러 비로소 현대적 주조를 지닌 시작품을 창작해 내었다는 점에서 특별히 살펴볼 필요가 있겠다.

그 이전의 한국현대시는 아직도 그 언어의 문제, 발상 등에 있어서 매우 소박한 상태에 머물러 있었다. 시문학파는 당시 한국시의 이와 같은 저미상태(低迷狀態)를 극복하고 비로소 예술작품으로써 짜임새를 가진 작품을 보여주었다.

주요 작품으로는 김영랑의 「모란이 피기까지는」(문학 3호), 정지용의 「바다」(시문학 2호), 박용철의 「떠나가는 배」(시문학 창간호), 신석정의 「선물」(시문학 3호), 등을 들 수

있겠는데, 후에 시문학파의 구성원 중 일부는 수록작품의 질
이 매우 우수한 사화집을 내었다. 시문학파 구성원들보다 앞
서서 시를 발표하여 데뷔한 김동명(金東鳴)은 순수한 시정신으
로 나라와 겨레를 사랑하는 충정을 읊은 시인으로서 '호수'처
럼 '파초'처럼 우리들의 가슴속에 자리 잡고 있다.

파초芭蕉

김동명

조국을 언제 떠났노
파초의 꿈은 가련하다.

남국(南國)을 향한 불타는 향수
너의 넋은 수녀(修女)보다도
더욱 외롭구나!

소낙비를 그리는 너는 정열의 여인
나는 샘물을 길어 네 발등에 붓는다.

이제 밤이 차다.
나는 또 너를 내 머리맡에
있게 하마.

나는 즐겨 너를 위해 종이 되리니,

너의 그 드리운 치맛자락으로

우리의 겨울을 가리우자.

시작노트

　이 시는 김동명의 제2시집 『파초(芭蕉)』(1938)의 표제가 된 작품
이다. 망국의 설움을 달래는 시정(詩情)이 파초라고 하는 한 열대식
물에 향하는 열애로 승화하고 있다. 머나먼 남쪽 나라를 떠나온 파
초와 나라 잃은 시인과의 아름다운 유대감이 상사성적(相似性的) 시
의 주조를 이룬다.

　일제의 탄압을 피하여 농촌에 묻혀 전원적인 사물을 소재로 비
애, 향수, 고독을 읊은 작품 중에서 「파초」와 「내 마음」은 명작으로
널리 애송될 뿐 아니라 가곡으로 작곡되어 애창되고 있다. 남국을
떠나온 파초와 조국을 잃은 자신의 향수를 융합시켜 동병상련(同病
相憐)의 심정에서 '파초'를 읊은 것으로 보인다.

그 먼 나라를 알으십니까

신석정

어머니
당신은 그 먼 나라를 알으십니까?

깊은 삼림지대를 끼고 돌면
고요한 호수에 흰 물새 날고
좁은 들길에 들장미 열매 붉어
멀리 노루 새끼 마음 놓고 뛰어다니는
아무도 살지 않는 그 먼 나라를 알으십니까?

그 나라에 가실 때에는 부디 잊지 마셔요.
나와 같이 그 나라에 가서 비둘기를 키웁시다.

어머니
당신은 그 먼 나라를 알으십니까?

산비탈 넌지시 타고 내려오면
양지 밭에 흰 염소 한가히 풀 뜯고
길 솟는 옥수수밭에 해는 저물어 저물어
먼 바다 물소리 구슬피 들려오는
아무도 살지 않는 그 먼 나라를 알으십니까?

어머니 부디 잊지 마셔요.
그때 우리는 어린양을 몰고 돌아옵시다.

어머니
당신은 그 먼 나라를 알으십니까?

오월 하늘에 비둘기 멀리 날고
오늘처럼 촐촐한 비가 내리면
꿩 소리도 유난히 한가롭게 들리리다.
서리 까마귀 높이 날아 산국화 더욱 곱고
노란 은행잎에 한들한들 푸른 하늘에 날리는
가을이면 어머니! 그 나라에서
양지 밭 과수원에 꿀벌이 잉잉거릴 때
나와 함께 고 새빨간 능금을 또옥 똑 따지 않으렵니까?

신석정(辛夕汀) 시인의 이 시는 일제의 질곡에 묶인 암흑기에 쓰이어진 작품이다. 이 시는 이상향을 그리는 전원시이지만, 그가 그린 전원은 이상향으로서의 특별한 나라가 아니다. 고요한 호수에 물새가 날고, 들에는 장미꽃이 피며, 노루 새끼가 마음대로 뛰어다니는 곳을 말한다. 염소가 풀을 뜯고, 은행잎이 날리며, 과수원에 꿀벌이 잉잉거리는 곳은 우리나라에서도 흔히 볼 수 있는 시골의 일상적 삶 그 자체다.

신석정은 왜 이처럼 그 당시 한국인이면 누구나 시골에서 흔히 볼 수 있는 그 일상적인 평범한 소재를 특별한 이상향처럼 그렸을까? 그 평범한 우리의 일상적 삶이 일제의 침탈로 인해서 상실되었기 때문이다. 사물의 형태는 변한 게 없으나 주권을 빼앗긴 식민지 백성의 뼈아픈 소외의식을 나타낸 것이다. 그래서 이 시는 평범 속의 비범함을 넌지시 내비치고 있다.

어느 시대, 어느 환경에서나 '그 먼 나라'는 영원히 '저만치의 세계'로 남겨둔 채 유보되고 있다. 김소월도 그의 시 「산유화」에서 "산에 산에 피는 꽃은 저만치 혼자서 피어 있네"라고 '저만치'를 역설하지 않았던가. 그래서 인간의 삶이란 영원한 과정의 연속이라고들 말한다.

망향

노천명

언제든 가리라
마지막엔 돌아가리라
목화꽃이 고운 내 고향으로
조밥이 맛있는 내 본향으로
아이들이 한울타리 따는 길머리엔
학림사(鶴林寺) 가는 달구지가 졸며 지나가고
대낮에 여우가 우는 산골
등잔 밑에서
딸에게 편지 쓰는 어머니도 있었다.
둥굴레산에 올라 무릇을 캐고
접중화 싱아 뻐꾹채 장구채 범부채
마주재 기륵이 도라지 체니 곰방대
곰취 참두릅 개두릅 홋잎나물을
뜯는 소녀(少女)들은

말끝마다 꽈 소리를 찾고

개암쌀을 까며 소년(少年)들은

금방망이 은방망이 놓고 간

도깨비 얘기를 즐겼다

목사가 없는 교회당

회당지기 전도사가 강도상을 치며

설교하는 산골이 문득 그리워

아프리카서 온 반마(班馬)처럼

향수에 잠기는 날이 있다.

언제든 가리

나중엔 고향 가 살다 죽으리

메밀꽃이 하얗게 피는 곳

나뭇짐에 함박꽃을 꺾어오던 총각들

서울 구경이 원이더니

차를 타보지 못한 채 마을을 지키겠네

꿈이면 보는 낯익은 동리

우거진 덤불에서

찔레순을 꺾다 나면 꿈이었다.

 시작노트

　　노천명(盧天命) 시인의 시 「망향(望鄕)」이다. 그리운 고향의 향토
정서가 물씬 풍기는 작품이다. 고향으로 향하는 간절한 그리움이
절절히 사무친다.

사슴

노천명

모가지가 길어서 슬픈 짐승이여
언제나 점잖은 편 말이 없구나
관(冠)이 향기로운 너는
무척 높은 족속(族屬)이었나보다

물속의 제 그림자를 들여다보고
잃었던 전설(傳說)을 생각해 내곤
어찌할 수 없는 향수(鄕愁)에
슬픈 모가지를 하고
먼데 산을 쳐다본다.

📖 시작노트

노천명(盧天命) 시인의 이 시(사슴)는 그를 '사슴의 시인'으로 불려
지게 한 대표작이다. 그는 사슴처럼 고고(孤高)하고 고독(孤獨)하며
예민한 성격의 섬세한 여성이라서 평생 독신으로 살았다.

이름 없는 여인이 되어

노천명

어느 조그만 산골로 들어가
나는 이름 없는 여인이 되고 싶소
초가(草家) 지붕에 박넝쿨 올리고
삼밭엔 오이랑 호박을 놓고
들장미로 울타리를 엮어
마당엔 하늘을 욕심껏 들여놓고
밤이면 실컷 별을 안고
부엉이가 우는 밤도 내사 외롭지 않겠오

기차가 지나가 버리는 마을
놋양푼의 수수엿을 녹여 먹으며
내 좋은 사람과 밤이 늦도록
여우 나는 산골 얘기를 하면
삽살개는 달을 짖고
나는 여왕(女王)보다 더 행복하겠오.

　노천명 시인은 왜 이름 없는 여인이 되고 싶다고 했을까. 그녀는 학창시절에 자작시를 학우들 앞에서 낭송했고, 일본에서 나오던『어린이 소년』지에 시가 입선했으며, 100m 육상선수였다. 이화여전(이대 전신) 재학시절『신동아』지에 시와 수필을 발표했고, 졸업 후에는 조선중앙일보 학예부 기자, 조선일보 출판부 '여성'지 편집을 했다. 그리고 극예술연구회에 참가, 체호프의 〈벚꽃 동산〉의 '아냐'로 분장하여 출연하였는데, 이때 관객으로 왔던 보성전문 김광진 교수와 알게 되었으나 결혼에까지 이르지는 못했다.

　광복 후에는 서울신문 문화부, 부녀신문 편집차장을 역임했고, 북한남침(6·25) 때는 피난하지 못하다가 임화 등과 만나 문학가동맹에 드나들었던 죄로 부역 혐의를 받고 투옥, 김광섭 시인의 노력으로 출감했다. 노천명 시인이 이름 없는 여인이었다면, 6·25 때 그런 곤욕은 치르지 않았을 것이다.

　그 후에도 서라벌예대에 출강하는가 하면, 이화여대 출판부에 근무하기도 하고, '이화70년사'를 집필했다. 그러면서도 생래의 고독벽과 깔끔하고 매서우며 냉철한 성격 때문에 평생 결혼하지 않고 혼자 살다 갔다. 주로 고향의 그리운 정경과 향수의 시를 쓴 노천명 시인이 시골에서 이름 없는 여인이 되고 싶은 심리를 독자는 충분히 이해할 수 있을 것으로 여겨진다.

샤갈의 마을에 내리는 눈

김춘수

샤갈의 마을에는 삼월(三月)에 눈이 온다.

봄을 바라고 섰는 사나이의 관자놀이에

새로 돋은 정맥(靜脈)이

바르르 떤다.

바르르 떠는 사나이의 관자놀이에

새로 돋은 정맥(靜脈)을 어루만지며

눈은 수천수만(數千數萬)의 날개를 달고

하늘에서 내려와 샤갈의 마을의

지붕과 굴뚝을 덮는다.

삼월(三月)에 눈이 오면

샤갈의 마을의 쥐똥만한 겨울 열매들은

다시 올리브 빛으로 물이 들고

밤에 아낙들은

그해의 제일 아름다운 봄을

아궁이에 지핀다.

 시작노트

　김춘수(金春洙) 시인의 이 시에서는 '샤갈의 마을'과 '눈'이 밀접한
상관관계를 가지고 효과적으로 활용되고 있다. 이 두 사물은 떼려
야 뗄 수 없는 불가분의 일체를 이루기 때문이다. 관념적이고, 형이
상학적인 존재 탐구의 경향을 추구했던 시인으로서는 러시아에서
태어나 프랑스의 화가가 되어 모스크바와 파리를 왕래하면서 러시
아의 민족성과 유태적인 신비성을 혼합한 환상적인 화풍을 창조한
샤갈의 미술에 관심을 두는 것은 당연하다. 특히 샤갈의 대표작이
라 할만한「나와 마을」같은 작품은 무척 쉬르레알리슴적이라는
점을 생각하면 이 두 사물의 합치점은 이해하기에 어렵지 않을 것
이다.

꽃

김춘수

내가 그의 이름을 불러 주기 전에
그는 다만
하나의 몸짓에 지나지 않았다.
내가 그의 이름을 불러 주었을 때
그는 나에게로 와서
꽃이 되었다.

📖 시작노트

꽃을 바라보는 주체적 시인과 대상적 꽃 사이의 교감은 상사성
(相似性), 즉 닮은 데에서 비롯된다. 주체와 대상, 시인과 꽃 사이에
동질의 요소가 없이는 이처럼 교감할 수가 없다. 이러한 현상은 인
간이 천주(天宙)를 총합한 실체상으로서 우주의 축소체인 소우주이
기에 가능하다.

꽃이라는 존재에 대한 본질을 추구하고 이름 짓는 행위는 마치

창세기에 에덴동산에서 모든 사물에 이름 짓는 아담의 행위와도 흡사하다. 이와 같이 시는 어디까지나 개인적 독창적인 인식의 원리에 지배된다. 이와는 달리, 개념적이거나 보편적 인식으로서는 성공할 수가 없다.

객관적으로 보는 경우, 꽃은 그대로 꽃일 뿐이다. 그러나 관조하는 시인의 주관에 의해서 교감되고 새로운 의미가 창출될 때 비로소 숨을 쉬는 생명체로 탄생하게 된다.

G.무리에는 "얼굴에 마주치는 바람이 인간을 지혜롭게 만든다."고 했는데, 바람은 그저 바람일 뿐인데, 무리에가 그렇게 사고함으로써 그런 말이 탄생된다.

바람이란 공기의 이동에서 파생된 자연현상이다. 이것을 자기의 축적된 경험에 따라서 다양하게 의미를 부여한다. 이러한 결과는 관점의 차이에 따라 달라진다. 앞에서 본 바와 같이 예술성이 짙은 글에는 직관이, 그리고 논리적이고 철학적인 글에는 오성(悟性)이 작용하게 된다.

여기에서 떠올릴 수 있는 것은 바람에 관한 관심이다. 그것이 성애(性愛)로, 지혜로, 탐욕으로, 번뇌로, 죄악으로 상징되고 은유한다 할지라도 그것은 인간 내부에 내재하는 동질의 요소라는 점이다.

시에서는 아무리 천태 만상의 다양한 형태로 나타난다 할지라도 그것은 어디까지나 바라보는 주체자와 바라보이는 대상(사물) 사이에 동질의 요소가 내재되어 있어서 상호 교호작용이 전개된다고 하는 상사성에 의해서 가능하게 된다.

풀잎

문덕수

나는 아무런 바람이 없네.
그대 가슴속 꽃밭의 후미진 구석에
가녀린 하나 풀잎으로 돋아나
그대 숨결 끝에 천년인 듯 살랑거리고
글썽이는 눈물의 이슬에 젖어
그대 눈짓에 반짝이다가
어느 늦가을 자취 없이 시들어 죽으리.
내사 아무런 바람이 없네.
지금은 전생의 숲속을 헤매는 한 점의 바람
그대 품속에 묻히지 못한 씨앗이네.

   문덕수(文德守) 시인의 이 시(풀잎)는 독자의 감상에 맡기는 게 바람직하겠다. 모호한 언어로 본의(本意)를 은폐시키고 있기 때문이다. 모호하면서도 무언가 주는 그 느낌이 중요하다. 이 시도 노래 동영상 음반을 만들었다. 문덕수 작시에 최삼명 작곡, 김지협 노래로 효과음을 내게 되었다.

세월이 가면

박인환

지금 그 사람의 이름은 잊었지만
그의 눈동자 입술은
내 가슴에 있네.
바람이 불고
비가 올 때도
나는 저 유리창 밖
가로등 그늘의 밤을 잊지 못하네.
사랑은 가고
과거는 남는 것
여름날의 호숫가
가을의 공원
그 벤치 위에
나뭇잎은 떨어지고
나뭇잎은 흙이 되고

나뭇잎은 덮여서

우리의 사랑이 사라진다 해도

지금 그 사람의 이름은 잊었지만

그의 눈동자 입술은

내 가슴에 있네

내 서늘한 가슴에 있네.

 시작노트

　박인환(朴寅煥) 시인의 이 시(세월이 가면)에서는 논리적인 모순이 없다. 또 논리적인 모순이 필요하지도 않다. 그만큼 이 시는 기교적이 아닌 것처럼 순박하게 보인다. 실은 기교적이 아닌 것처럼 보이지 기교적이 아니라고 단적으로 말할 수는 없다. 그러면서도 이 시는 기교 이상으로 매력이 넘친다.

　논리적인 언어로 질서 정연하게 잡혀 있으면서도 이 시가 논리 이상의 매력을 주는 것은 이 시인의 시풍과 현대적 낭만성에 있다. 논리적 언어이면서도 그 논리 이상으로 시적 묘미를 살리는 까닭은 미적 기능이라든지, 표현 기능을 살려내고 있기 때문이다.

과수원과 꿈과 바다 이야기

전봉건

이
창가에서
들어요
둘이서만 만난 오붓한 자리
빵에는 쨈을 바르지요
오 아니예요
우리가 둘이서 빵에 바르는
이 쨈은 쨈이 아니라 과수원이예요
우리는 과수원 하나씩을
빵에 얹어 먹어요.

이
불빛 아래서
들어요

둘이서만 만난 고요한 자리
잔에는 포도주를 따르지요
오 아니에요
우리가 둘이서 잔에 따르는
이 포도주는 포도주가 아니라 꿈의 즙
우리는 진한 꿈의 즙을 가득히
잔에 따라 마셔요.

나는
당신 앞에 당신은
내 앞에
둘이서만 만난 둘만의 자리
사실은 아무것도 먹지 않아도
오 배가 불러요
보세요 우리가 정결한 저를 들어
생선의 꼬리만 건들어도
당신과 내 안에 들어와서 출렁이는
이렇게 커다란 바다 하나를.

 시작노트

　전봉건(全鳳健) 시인의 시 「과수원과 꿈과 바다 이야기」다. 이 시
에는 설명되는 일상적 언어와 표현되는 예술적 시어가 공존하고

있다. 설명되는 일상적 언어는 구태여 설명할 필요가 없거니와 표현되고 있는 시어, 가령 첫 연 뒷부분 4행("우리가 둘이서 빵에 바르는 - 이 쨈은 쨈이 아니라 과수원이예요 - 우리는 과수원 하나씩을 - 빵에 얹어서 먹어요."라든지, 2연의 뒷부분 4행("우리가 둘이서 잔에 따르는 - 이 포도주는 포도주가 아니라 꿈의 즙 / 우리는 진한 꿈을 가득히 - 잔에 따라 마셔요.)은 일상적 상식의 범주 내에 있는 사고가 아니라 비일상적이며 비상식적인 비인과율로서의 사고로서, 시창작이라는 미적 목적을 위한 '낯설게하기'로서 예술적 시어를 도모하고 있다.

이 시는 종래의 고정관념을 깨뜨린 새로운 사고와 기법으로 구성되어 있다. 이 시에서는 "빵에 바르는 쨈은 쨈이 아니라 과수원이예요"하고 낯설게 할 뿐 아니라, "과수원 하나씩을 빵에 얹어 먹어요." 하고 일상적 상식선의 공간관념을 파괴하는 동시에 새로운 낯설게하기를 도모함으로써 새로운 싱싱한 시어로 신선한 즐거움을 주고 있다.

이 시에서 핵심이 되는 시정신은 '우리가 둘이서'다. 사랑에 젖는 심상에서는 이러한 비일상적인 공간관념이 시어로 통한다. 둘이서 도모하는 사랑에는 되지 않을 게 없다고 하는 시정신이 결말에 가서 해명되고 정리된다.

생선의 꼬리만 건들어도 / 당신과 내 안에 들어와서 출렁이는
이렇게 커다란 바다 하나를.

이 결말 부분은, 둘이서만 만난 둘만의 자리에서는 아무것도 먹지 않아도 배가 부르다고 하는 심정적인 치열성이 내비치고 있다.

사랑의 말

김남조

사랑은
말하지 않는 말
아침 해 단잠을 깨우듯
눈부셔 못 견딘
사랑 하나 환한 영혼의 내 사랑아
쓸쓸히 검은 머리 풀고 누워도
이적지 못 가져본
너그러운 사랑

너를 위하여
나 살거니
소중한 건 무엇이나 너에게 주마
이미 준 것은 잊어버리고
못다 준 사랑만을 기억하리라
나의 사람아.

　김남조(金南祚) 시인의 이 시(사랑의 말)는 상대방을 위해서 이타(利他) 정신으로 사는 삶을 말하고 있다. 말하지 않는 말도 이타 정신의 사랑이요, 준 것을 잊어버리는 것도, 못다 준 사랑만을 기억하는 것도 이타 정신으로 사는 삶을 반영하는 말이다. 자기가 베푼 사랑은 잊어버리고, 못다 준 사랑만을 기억한다면 그런 사랑은 영속된다. 이런 사람은 사람의 마음을 편안하게 하고, 풍부하게 하며 행복하게 한다.

눈의 나라

김후란

겨울이면 나는 눈의 나라 시민이 된다.
온 세상 눈이 다 이 고장으로 몰린다.
고요하라 고요하라.
희디흰 눈처럼
차고도 훈훈한 눈처럼
고요하라는 계율에 순종한다.
사랑을 하는 이들은
안개의 푸른 발
아사도라 던컨의 맨발이 되어
부딪치는 불꽃이 되기도 한다.
겨울이면 나는 눈의 나라 시민이 되어
유순하게 날개를 접는다.
그러나 이따금 불꽃이 되고
허공에서 눈물이 되려 할 때가 있다
슬픔이 담긴 눈송이들끼리.

김후란(金后蘭)의 시 「눈의 나라」다. 여기에서 눈길을 끄는 구절은 "아사도라 던컨의 맨발이 되어 - 부딪치는 불꽃이 되기도 한다."는 구절이다. 자유로운 영혼을 소유했던 현대 무용의 어머니로 알려진 "아사도라 던컨의 맨발"을 끌어들임으로써 눈의 나라 이미지를 순백의 환상적 아름다움과 자유와 혁명적 모험 등의 새로운 가치 추구욕을 보이는 것으로 여겨진다. 말하자면 눈을 빙자해서, 아사도라 던컨을 빙자해서 높은 가치를 추구하는 창작 의도를 보인다.

지리산 시詩

- 달

문효치

화개재 위에 솟은 달은
혼자 보기로 했다.

초로에 내 가슴을
아직도 충분히 울렁거리게 하는
예쁜 여인 배시시 웃는 모습이어서

근일이도 남일이도
텐트 속으로 등밀어 보내고

숲속으로 데리고 들어가
혼자만 가만히 안아보았다.

　문효치(文孝治)의 시「지리산 시」다. 시는, 모든 예술작품은 상상력의 소산이다. 이 시에서도 역시 시에 있어서 상상의 중요성을 강조하지 않을 수 없다. 지리산 자락에 솟아 있는 달을 보고 어느 여인으로 연상하여, 그 여인과 달을 동일 선상에 두고 동일시(同一視)한다. 그리고 그 여인을 안아보듯이 아무도 몰래 달을 안아본다는 착상은 주제를 위한 상상력의 수련이 없고서는 불가능한 일이라 하겠다. 그러므로 시인뿐 아니라 모든 예술가는 상상력을 살려내기 위해 진력한다. 창조적 상상으로 최선을 다해야 좋은 작품을 생산할 수 있기 때문이다.

첫눈 이미지

- 달

박명자

오늘 가까운 숲에서 누가
첫사랑을 가슴 밑에 앓고 있나 보다.

화선지 두루마리 떨리는 사연을
마른 가지 위에 겹겹이 끼워 두었네.

하느님께서는 그동안 꽉 움켜잡았던 커튼을
저녁 답에 스르르 풀어 내리시며
은밀한 공간을 그들에게 지어주시지

새들도 오늘은 낮게 비행하고
국기 계양대 위에 떠 있던 애드벌룬도
반쯤 이미 눈꺼풀이 흘러내렸어

참을 수 없는 기다림의 무게를 버티고
엉거주춤 엉덩이를 빼고 선 나무들도
더듬더듬 자기네끼리 하얀 홑이불 속으로
손목을 이미 잡아버렸어.

시작노트

　박명자의 시 「첫눈 이미지」다. 시인 자신의 바람대로 눈을 인 겨울나무들을 재구성하고 있다. 하얗게 눈을 인 숲을 "화선지 두루마리 떨리는 사연"으로 연상하고, 눈이 내리는 광경을 하느님이 커튼을 내리셔서 사랑하기 좋은 은밀한 공간을 만들어주시며, 결국은 "엉거주춤 엉덩이를 빼고 선 나무들도 - 더듬더듬 자기네끼리 하얀 홑이불 속으로 - 손목을 이미 잡아버렸어."라고 코믹한 즐거움을 주게 된다. 마지막 결구인 "하얀 홑이불 속으로 - 손목을 이미 잡아버렸어."가 그것이다.

f 치열한 갈림길

　시는 마치 강철이라는 재료를 가지고 커다란 알에서 흰자질 같은 액체가 느릿느릿 흘러내리는 조각품을 만드는 것으로 비유할 수 있을 것이다. 사람 키만큼이나 큰 알에서 액체가 흐르는 것처럼 표현했다면 사람들은 놀라기도 하고 신기해할 것이다.

　김소월의 시 「초혼」은 이제까지 말한 시적 방법은 아니다. 다만 치열성은 소월의 시 가운데 최고조에 달한다. 특히 여성적 정조가 두드러지게 보이는 그의 시로서는 보기 드문 화산 폭발인 셈이다.

　영국의 시인 윌리엄 워즈워스는 훌륭한 시는 강한 감정이 자연스럽게 흘러나오는 것이라고 했다. 김소월 시의 경우, 「진달래꽃」이 그렇다.

초혼招魂

김소월

산산이 부서진 이름이여!
허공중(虛空中)에 헤어진 이름이여!
불러도 주인(主人) 없는 이름이여!
부르다가 내가 죽을 이름이여!

심중(心中)에 남아 있는 말 한마디는
끝끝내 마저 하지 못하였구나.
사랑하던 그 사람이여!
사랑하던 그 사람이여!

붉은 해는 서산(西山) 마루에 걸리었다.
사슴의 무리도 슬피 운다.
떨어져 나가 앉은 산(山) 위에서
나는 그대의 이름을 부르노라.

설움에 겹도록 부르노라.

설움에 겹도록 부르노라.

부르는 소리는 비껴가지만

하늘과 땅 사이가 너무 넓구나.

선 채로 이 자리에 돌이 되어도

부르다가 내가 죽을 이름이여!

사랑하던 그 사람이여!

사랑하던 그 사람이여!

 시작노트

　김소월(金素月) 시인의 시 「초혼(招魂)」이다. 이 시는 전반적으로 격한 감정을 표출하고 있다. 특히 앞의 부분 4행은 점진적인 고조(高調)를 보인다. 그 다음 연(聯)부터 절절히 흐르는 슬픔의 가락으로 사람의 마음을 사무치도록 절규하고 있다.

　여기에서는 반복법을 통해서 애절한 사랑의 정서를 효과적으로 표현하고 있다. "이름이여!"와 "사랑하는 그 사람이여!", "설음에 겹도록 부르노라!"의 반복이 그것이다. 이처럼 처음부터 되풀이되는 반복적 언어는 한 치의 여유도 없이 읽는 이에게 긴장감을 준다. 그것은 연에 이어지면서 이별의 아쉬움, 슬픔, 절망 등의 감정을 고조(高調)시킨다.

산山

김소월

산새도 오리나무
위에서 운다.
산새는 왜 우노, 시메 산골
영(嶺) 넘어 가려고 그래서 울지.

눈은 내리네, 와서 덮이네.
오늘도 하룻길
칠팔십 리
돌아서서 육십 리는 가기도 했소.

불귀(不歸), 불귀, 다시 불귀,
삼수갑산에 다시 불귀.
사나이 속이라 잊으련만,
십오 년 정분을 못 잊겠네.

산에는 오는 눈, 들에는 녹는 눈,

산새도 오리나무

위에서 운다.

삼수갑산 가는 길은 고개의 길.

시작노트

김소월(金素月) 시인은 이 시(산)에서 산새도 오리나무 위에서 운다고 했다. 산새가 운다고 한 게 아니고 산새도 운다고 했다. 그렇다면 산새 말고 또 누가 울고 있어야 한다. 그가 바로 김소월 시인 자신이다. 15년간이나 살던 정분을 못 잊어 눈물을 뿌리며 떠나가는 처지다. 떠나가려는 발길이 자꾸만 머뭇거려진다. 그는 뒤돌아 보면서 산새도 오리나무 위에서 운다고 토로한다. 정든 산천을 떠나면서 다시는 돌아오지 않겠다고 불귀불귀(不歸不歸) 다시 불귀를 부르짖는, 가난하게 살았던 시인의 슬픔이 사무치게 젖어 온다. 산을 오르내릴 때 김소월 시인의 심정이 되어서 이 시를 외우게 되면 그 시인의 마음속으로 들어가게 된다. 이렇게 시를 사랑하게 되면 시와 떨어져 살 수 없게 되고, 시인다운 시인이 되어가게 된다.

산유화 山有花

김소월

산(山)에는 꽃피네
꽃이 피네
갈 봄 여름 없이
꽃이 피네,

山에
山에
피는 꽃은
저만치 혼자서 피어 있네.

山에서 우는 작은 새여
꽃이 좋아
山에서 사노라네.

山에는 꽃 지네
꽃이 지네
갈 봄 여름 없이
꽃이 지네.

 시작노트

　김소월의 시 「산유화(山有花)」다. 김소월의 「산유화」에는 운율적 율조와 함께 문학 형식으로서의 그 형태적 감각이 효과적으로 우러나고 있다. 가령 여기에서 말하는 운율적 효과란 '山에 山에……' 등 반복되는 소리의 리듬 효과를 가리킨다. 그리고 "山에 山에 피는 꽃은 저만치 혼자서 피어 있네."라고 했는데, '저만치'라는 말을 반추할 필요가 있겠다.

　모든 아름다움은 저만치 거리를 두고 관조할 때 살아나지. 이만치 가까운 거리에서는 사라지는 무지개 같은 것이라는 이치를 암시하고 있다.

　소월의 시가 가장 많이 읽혀온 것은, 그의 작품이 우리 겨레가 공통으로 지닌 민족공동체적 얼을 온전히 공유하고 있기 때문이다. 이 민족공동체적 얼은 이미 약속해 있는 언어로서 용해되어 흐르는 얼이다. 참담한 비극의 시대를 함께 살아오는 동안에 한이 맺힌 우리 민족에 소월의 시는 위안이 되어 왔기 때문이다.

호남평야

장영창

모래알 같은 이야기를 만들고
이스락처럼 농부들은 연달아 죽어갔다.

그러나 땅속에서
영기(令旗) 들은 동학난병(東學亂兵)의 눈초리—
징 소리 들려온다.

풀 욱은 밭두렁을 파 헐으면
우렁 껍질처럼 이름 없이
오래된 늙은 농부의 백골이 나오나니
네 피리를
어서 흙 속에 묻고
땅에 귀를 대라!
동학난병(東學亂兵)의 짚신—
숨 가쁜 발소리 들려온다.

　장영창(張泳暢) 시인의 시 「호남평야(湖南平野)」다. 이 시를 보면 우선 사람이 되어야 한다는 생각이 든다. 자기만큼 보이기 때문이다. "시를 쓰기 전에 사람이 되어야 한다"는 말은 우선 사람다운 사람이 되라는 뜻으로 인격적인 내용을 주문하는 의미가 있다. 그에 못지 않게 사물 인식의 내용을 갖추라는 뜻도 포함되는 것으로 여겨진다. 좋은 사진을 찍으려면 그 카메라 렌즈부터 우수한 성능을 지녀야 하듯이, 시를 감상하거나 쓰는 데에도 사물에 대한 인식능력이 요구된다. 그릇만큼 담을 수 있다는 말은 이를 두고 이르는 말이다.

　가령 호남평야를 여행하는 시인에게 역사의식이 없다면, 이 장영창 시인처럼 백 년 전의 농부나 동학 민병들이 울려대던 징소리, 땅속에 묻혀 있을 농부들의 백골, 짚신, 숨가쁜 발소리 등이 연상될 리 만무하다. 고작해야 들녘이 넓다거나 아름답다는 식으로 서경시나 상태를 나타내는 글에 머물게 될 것이다.

　만경강 동진강이 흐르는 호남평야, 그 드넓은 김제 들녘을 바라보는 똑같은 환경에서 어떤 사람은 역사의식으로 깊이 인식하여 영기(令旗)를 들고 함성을 지르며 내달리는 동학 민병의 눈초리를 연상하여 의미심장한 시를 써내는 이가 있을 수 있는가 하면, 역사의식이 없이 경박하게 표현하는 이도 있겠는데, 이는 시의 본질과 거리가 멀 수밖에 없다.

　이 「호남평야」는 장영창 시집의 표제시(標題詩)이기도 하다. 장영창 시인은 1920년 전북 김제 청하에서 태어나 1995년 서울에서 타계했다. 그는 이 시의 시작 노트를 이렇게 썼다.

　"평야는 말이 없다. 그러나 평야는 인간의 위대한 정신을 육성시킨다. 나는 호남평야의 한복판에서 태어났다. 평야가 얼마나 묵묵

한지를 나는 알았다. 그리고 그 땅에는 수많은 농부의 뼈가 묻혀 있다는 사실을 알게 되었다. 파헤치는 흙 속에서 흔히 굴러 나오는 뼈 조각들—그러나 그 뼈 조각들은, 전날에 살(肉)을 입고 있었고, 그 살 속에서는 피가 돌고 있었던 것이 아니었던가! 피는 생명이고, 그 생명은 현재의 우리들의 생명과 조금도 다름없이 생각했고, 울었고, 노동했고, 더러는 순간적으로 행복했고, 그러면서 나라를 위하여 용솟음쳤을 것이다. 그들은 땅을 위했던 만큼 나라를 위했을 것이다. 그 흔적 속에서 나는 동학 혁명군들의 설레는 발소리를 영적으로 들을 수 있었다. 숱하게 죽어간 농부들의 이야기들 속에서도, 특히 동학 혁명군의 이야기들을 가슴 아프게 들을 수가 있었다."

이 시작 노트는 「호남평야」를 감상하는 데 도움이 될 것이다. 중복을 피하기 위해서 몇 가지만 얘기하고자 한다. 시의 첫 연을 보면 "모래알 같은 이야기를 만들고 - 이스락처럼 농부들은 연달아 죽어갔다."고 되어있는데, 여기에 나오는 '이스락'은 이삭의 전라도 방언이다. 그것은 농사를 지은 것을 거둔 뒤에 땅에 흘리어 처진 지스러기를 말한다. 농토가 없는 빈민들은 이 이삭을 주워서 끼니를 때우는 사회적 분위기로 보아 농부로 비유되는 이 '이스락'은 존재감이 없는 서민들로 여겨진다.

만경강의 노랫소리

장영창

내 코피를 쏟아 보아도
도무지 붉어지지 않는 강물이었다.

사발만한
노란 해바라기 꽃은
강을 지키지 않고 기어이 쓰러져 버렸다.

흰나비 하나
산맥 위 바람을 찾아
가늘은 선(線)으로 가버리면……

갈기갈기 찢어진 흰 구름 아래
우수수·
갈대밭은 머리를 풀고 몸으로 울었다.

빨간 채송화가 피어 있는 자리는

몇 해 전 붉은 댕기 - 처녀의 시체가 밀려왔던 자리다.

바다가 왈칵 이 강으로 기어오르던 만조(滿潮)의 밤,

등불 들고 병들어 바위 위에 서서 울던

여자를 싣고 간, 검은 뱃놈들의 노랫소리가 있었다.

🖼 시작노트

　장영창(張泳暢) 시인이 보여준 이 시(만경강의 노랫소리)에서는
색채의식이 두드러지게 나타난다. 코피, 강물, 사발, 해바라기, 흰
나비, 산맥, 흰구름, 갈대밭, 머리, 채송화, 붉은 댕기, 밤, 등불, 바
위, 검은 배 등이 그것이다. 주로 흑백(黑白)과 적청황(赤靑黃)의 3원색
을 골고루 펼치고 있다. 언어의 색감을 보다 짙게 표출한 색채의 구
체적 사물을 정리해 보면 다음과 같다.

　　검정(黑) …… 밤, 검은 배
　　흰색(白) …… 사발, 흰나비, 흰구름, 갈대밭, 바위
　　빨강(赤) …… 코피, 채송화, 붉은 댕기, 등불
　　파랑(靑) …… 강물, 산맥
　　노랑(黃) …… 해바라기

　작품에 가장 많이 나타난 사물의 색채는 흰색과 붉은색이다. 선
(善)으로 상징되는 흰색의 사발에서 우리 고유의 토속적인 순수성
및 종교성을 느낄 수 있다면, 나비와 흰 구름에서는 자유와 평화 또

는 허무의식을 엿볼 수 있다. 갈대밭에서는 세월을, 바위에서는 의지를 엿볼 수도 있다. 붉은색의 코피라든지 채송화에서 생명감이나 피해 또는 불안의식을 감지할 수도 있고, 붉은 댕기에서는 여인의 숙명을, 등불에서는 어둠을 내쫓고 싶어 하는 빛의 원망(願望)을 읽을 수 있으리라고 본다. 이 시에서 검은 배와 해바라기라는 두 사물 사이에는 심각한 문제의식이 깔려있음을 알 수 있다.

검은 배에서는 피해의식의 아픔을 느끼는 대신, 쓰러진 해바라기에서는 자의식을 엿볼 수 있다. 여기에서는 시각적 색채의 효과외에 우수수·왈칵 등 청각적 음향 효과도 꾀하고 있지만, 이 시인은 보다 시각적 색채효과에 더욱 큰 관심을 보이고 있다. 여기에 '만경강'이라는 시각성과 '노래소리'라는 청각성을 대비해 리듬의 파장 효과를 동시에 거두고 있다. 여기에서 좀 더 살펴보면, 이 시인은 강의 수난사의 숙명을 회화적인 색채(사물)로 밀도 있게 깔아가고 있음을 보게 된다.

이 시에 등장하는 만경강은 고향의 강이요, 추억의 강인 동시에 '코피를 쏟아 보아도 도무지 붉어지지 않는 강물' 같이 그 푸름이 변하지 않는 강이다. 그러나 '갈기갈기 찢어진 흰 구름'과 연결되는 '흰나비 한 마리'란 너무도 연약한 자유일 수밖에 없다.

이 시인은 극한 상황에서 오는 처절한 슬픔을 울음으로 나타내기보다는 자신이 쏟은 코피로서 다른 사물들을 보는 그림의 표현방법을 선택하고 있다.

초토焦土의 시

구 상

    구상(具常) 시인의 시 「초토(焦土)의 시」를 살펴보고자 한다. '초토(焦土)'라는 말은, 그을릴 초(焦)자에 흙 토(土)를 한 자다. 그을린 흙, 까맣게 탄 흙이나 땅을 말한다. 불에 타서 없어진 자리나 남은 재를 말한다. 북한군의 남침에 의한 6·25전쟁의 결과는 바로 이 초토화였다.

    한국군의 사망 부상 실종자가 60만 8033명이다. 남한의 민간인은 사망 학살 부상 납치 행방불명 모두 99만 968명이다. 합해서 159만 9천여 명이 피해를 입었다. 유엔군은 사망 부상 실종 포로 모두해서 54만 5910명이 희생되었다. 한·미동맹은 피로 맺은 동맹이다. 한국인은 오늘날 자유와 번영을 누리고 있다. 여기에는 미국의 도움이 컸다. 미군은 6·25전쟁에서 3만 6574명이 목숨을 잃었다.

    6·25 전쟁 기간 중 한국은 43%의 산업시설과 33%의 주택이 완전히 파괴되었다. 구상 시인의 「초토의 시」는 바로 6·25 전

쟁의 이런 상태를 절실히 증언한다고 하겠다.

第1景

행길 위에 머슴애들이 우 몰려가 수상한 차림의 여인 하나를 에워싼다. 돌팔매를 하는 놈, 쇠똥, 말똥을 꿰매달아 막대질을 하는 놈.

"양갈보" "양갈— 보" "양가— ㄹ보"

더럽혀진 모성(母性)을 향하여 이들은 저희의 율법(律法)으로 다스리는 것이다.

"내가 늬들 에미란 말이냐. 양갈보면 어때? 어때?"

거품까지 물어 발악하는 여인을 지나치던 미군 짚이 싣고 바람같이 흘러간다.

아우성만 남고.

第2景

짙게 양장한 여인이 지나간다. 꼬마들은 눈을 꿈벅꿈벅한다. 한 녀석이 살살 뒤를 밟아 여인의 뒷잔등에다

"一金 三千圓也"라는 꼬리표를 재치 있게 달아 붙인다.

"와하" "와하하" "와하하하"

자신들의 항거(抗拒)로서는 어쩔 수 없음을 깨달은 꼬마들이 자학(自虐)을 겸친 모멸의 홍소(哄笑)를 터뜨린다.

여인은 신 뒤축을 살펴보기도 하고 걸음새를 고쳐보기도

한다. 그러나 그녀가 사라지기까지

"와하" "와하하" "와하하하"는 그치지 않는다.

 시작노트

　구상(具常) 시인의 시 「초토(焦土)의 詩6」이었다. 이 시인이 의도하는 본의는 따로 있다. 여기에 나타난 「초토의 시6」 중의 1경과 2경은 소년들이 미군에게 몸을 파는 소위 양공주를 괴롭히는 연출 장면으로 되어있다. 구상 시인은 무엇 때문에 소년들이 가련한 여인을 괴롭히는 장면을 포착하여 시로 작품화하였을까.

　소년들에게 있어서 가장 슬픈 것은 어머니를 다른 남자에게 빼앗기는 모성상실(母性喪失)일 것이다. 6·25 전쟁 당시 남편 잃은 떼 과부들, 그 수많은 전쟁미망인들이 살아남기 위한 생존수단으로 미군부대 주변에서 처절하게 삶을 유지하던 치욕의 군상들을 이 시인은 모성상실의 차원에서 조명한 것으로 보인다. 소년들의 처지에서는 자기를 버리고 다른 남자를 상대한 여인을 향한 분노가 치열할 수밖에 없을 것이다. 이러한 사회현상을 더욱 확대시켜 해석한다면, 잃어버린 어머니나 더럽혀진 어머니는 상실된 모국, 잃어버린 조국을 의미하기도 한다. 외세로부터 물려 뜯겨온 침탈사가 그것이다.

보리피리

한하운

보리피리 불며
봄 언덕
고향(故鄕) 그리워
피-ㄹ 닐리리.

보리피리 불며
꽃 청산(靑山)
어린 때 그리워.
피-ㄹ 닐니리.

보리피리 불며
인환(人寰)의 거리
인간사(人間事) 그리워
피-ㄹ 닐니리.

보리피리 불며
방랑(放浪)의 기산하(幾山河)
눈물의 언덕을 지나
피-ㄹ 닐니리.

  한하운(韓何雲) 시인의 시 「보리피리」다. 이 시에는 인간이 그리
운 한 방랑 시인의 슬픔이 '피-ㄹ 닐니리' 하는 보리피리의 애절한
가락을 통해 절실히 읊어내고 있다. 그것은 문둥이라는 친형환자
(天刑患者)가 지닌 숙명적인 아픔의 연소이기도 하다. 이 원색적인 슬
픔의 표현은 '꽃 청산(靑山)'이라는 한국적인 정서를 배경으로 한층
절실한 울림을 주고 있다. 어린 시절의 고향과 인간사를 뼈에 사무
치게 하는 보리피리 가락은 천형(天刑)의 벌(罰)로 자학하는 정한(情
恨)의 정서로서 읽는 이가 공감하게 한다.

삶

한하운

지나가버린 것은
모두가 다 아름다웠다.

여기 있는 것 남은 것은
욕(辱)이다 벌(罰)이다 문둥이다.

옛날에 서서
우러러보던 하늘은
아직도 푸르기만 하다마는,

아 꽃과 같던 삶과
꽃일 수 없는 삶과의
갈등(葛藤) 사잇길에 쩔룩거리며 섰다.

잠깐이라도 이 낯선 집
추녀 밑에 서서 우는 것은
욕(辱)이다 벌(罰)이다 문둥이다.

 시작노트

한하운(韓何雲) 시인의 시 「삶」이다. 이 시는 해설이 필요 없다. 직
설적으로 토로했기 때문이다.

나

한하운

아니올시다.
아니올시다.
정말로 아니올시다.

사람이 아니올시다.
짐승이 아니올시다.

하늘과 땅과
그 사이에 잘못 돋아난
버섯이올시다 버섯이올시다.

다만
버섯처럼 어쩔 수 없는
정말로 어쩔 수 없는 목숨이올시다.

억겁(億劫)을 두고 나눠도 나눠도

그래도 많이 남을 벌(罰)이올시다 벌(罰)이올시다

 시작노트

　한하운(韓何雲) 시인의 시「나」다. 이 시는 점진적인 강세를 보인
다. 나병 환자로서 느끼는 지극히 처절한 감정이 그 울분과 함께 직
정적으로 토로(吐露)하고 있다. 앞의 시「삶」의 마지막 결구는 "낯선
집 - 추녀 밑에 서서 우는 것은 - 욕(辱)이다 벌(罰)이다 문둥이다."라
고, 처절한 울분을 격정적으로 토로하고 있다. 그리고 다음의 시「
나」는 스스로를 '버섯'으로 비유해서 잘못 돋아난 버섯, 버섯처럼
어쩔 수 없는 목숨이라고 비하하며 스스로 자학하고 있다. 왜 스스
로 '버섯'이라는 사물에 빗대어 말할까. 버섯은 꽃이 피지 않는 음
지식물이기 때문이다. 이처럼 적합한 언어 선택은 매우 중요하다.

촛불 연가 1

한승원

혼자서
허공을 향해
두 손의 엄지와 검지 끝을 맞붙이면 그것은
그냥 손가락들의 만남일 뿐이더니
너를 향해 앉아 눈을 감고
엄지와 검지 끝을 맞붙여 동그라미를 그리면
모든 세상이 그것 안에 다 들어와 담긴다.
그것을 풀면 언제 그랬냐는 듯 다시 모든 것들이
제자리로 돌아간다.
의도 속에 담는 것보다는
풀어서 제자리로 돌려보내는 것이 얼마나 마음 편한 일인지
를 또한
너에게서 배운 다음부터 나는
이것저것 조급해하며
짓기(業)를 삼가기 시작했다.

한승원(韓勝源)의 시 「촛불 연가(戀歌) 1」이다. '불바퀴(光輪)'라는 부제(副題)가 붙은 「촛불 연가 1」의 경우, 손가락을 사용하여 동그라미를 그리면 모든 세상이 그것 안에 다 들어와 담긴다고 하는, 경치 경(景)자 경(景)에서 사랑 정(情)자 정(情)으로 유도(誘導)하고 유추하는 묘미를 보인다. 그가 꾀어서 끌어낸 시어의 형상화는 하나의 형태를 경치 경(景) 그 자체에 머무르지 않고 그리고자 하는, 또는 말하고자 하는 내면의식(情·知·意)으로 표출한다.

촛불 연가 2

한승원

우리 집 앞 골목 비좁아서 대문 앞까지 장의차 못 들어올 터인데
얼마나 고생들을 할까 내 관을 멘 사람들
내 무덤 고향 바다 내려다보이는 산언덕에 만들어달라고 하
고 싶은데
나와 인연했던 사람들
그 인연의 빚 갚겠다고
한 시간 반 시내버스에서 시달리고
8시간 고속버스에서 흔들리고
가파른 그 고향 산언덕까지 내 무덤 찾아가느라고 얼마나 고
달플까 에라
나하고 불행하게도 인연했던 사람들아
그 뼈다귀 무얼 하게 거기까지 끌고 갈 것이냐
벽제화장장에서 태워 날리고 뼛가루는
너희들이 뿌리고 싶은 데다 뿌려라

구름 되고 눈비 되고 안개비 몇 알 되어

산과 들의 나무에

들풀 위에

논밭의 곡식과 바다와 강에 내려

소나 돼지나 닭이나 말이나 뱀이나 풍뎅이나 새들의 피와 살
되고

사람들의 영혼 속으로 스며들어 너울거리고 뛰어다니고 출
렁거리게

나와 인연한 만큼의 빚졌다고 생각할 사람들아

나 보고 싶고 그 빚 갚고 싶거든 그냥

구름 강 바다 산천초목에

들꽃 한 포기한 테 절하고

눈길 맞추고 입맞추고 말아라.

🖐 시작노트

　한승원(韓勝源)의 시 「촛불 연가 2」이다. '불바퀴(光輪)'라는 부제
가 붙은 이 시의 경우, 불교의 무사상(無思想)이라든지, 윤회전생의
식(輪廻轉生意識)이 녹아들어 있다. 어떤 종교의 카테고리에 매이지
않은 초탈한 상태에서의 달관의 멋스러움을 보이고 있다. 이러한
달관의 경지는 불교적 요소라든지, 노장사상(老莊思想)에서 얘기되
고 있는 허무의식과도 연유한다. 허무를 우주의 근원으로 보고 무
위자연(無爲自然)의 도(道)를 중히 여기는 자세뿐 아니라, 한국인의
심층 저변에 스며있는 정한(情恨)의 요소가 합세하여 초탈(超脫)의
멋스러움을 가미하고 있다.

사는 법 2

홍윤숙

날지 못할 날개를 떼어 버려요.
지지 못할 십자가는 벗어놓아요.
오척 단신 분수도 모르는 양심에 치어
돌아서는 자리마다 비틀거리는
무거운 짐수레 죄다 비우고
손 털고 일어서는 빌라도로 살아요.
상처의 암실엔 침묵의 쇠 채우고
죽지 못할 유서는 쓰지 말아요.
한 사발의 목숨 위해
날마다 일심으로 늙기만 해요
형제여 지금은 다친 발 동여매고
살얼음 건너야 할 겨울 진군
되도록 몸을 작게 숨만 쉬어요.
바람 불면 들풀처럼 낮게 누워요

아, 그리고 혼만 깨어 혼만 깨어
이 겨울 도강(渡江)을 해요.

![book icon] 시작노트

　홍윤숙(洪允淑) 시인의 시 「사는 법 2」이다. 이 시는 마치 부상한
몸으로 일본군에 쫓기는 독립군에게 보내는 격문(檄文)처럼 읽힌
다. 여기에서는 손 털고 일어서는 빌라도로 살라고 했는데, 왜 그럴
까. 빌라도는 유대를 통치한 로마 총독이다. 예수의 재판관으로서
무죄라는 사실을 알면서도 유대인 민중의 압력에 굴복하여 십자가
형(十字架刑)을 내린 사람이다.

　빌라도처럼 왜 그래야 할까. 살아야 하기 때문이다. 왜 살아야
하는가. 당장에 사라지면 앞날을 기대할 수 없기 때문이다. 이런 치
욕이 없고, 인욕(忍辱)이 없다. 이렇게까지 해서 살아야 할 이유가 있
는가. 지금은 이해할 수 없지만, 이 시를 다 읽으면 이해할 것이다.
여기에는 경이로운 복선이 깔려있다.

　"형제여 지금은 다친 발 동여매고 - 살얼음 건너야 할 겨울 진군
- 되도록 몸을 작게 숨만 쉬어요. - 바람 불면 들풀처럼 낮게 누워요
- 아, 그리고 혼만 깨어 혼만 깨어 - 이 겨울 도강(渡江)을 해요." 바로
이것이다.

　이 결구(結句)를 위해서 그 치욕의 인욕도 감내하자는 내용이다.
잃어버린 나라를 되찾기 위해서는 일본군의 가랑이 밑으로라도 기
어갈 수 있어야 한다고 격문을 띄운 것으로 이해하면 되겠다.

석탄

정공채

1

어쩌다 우리 인생들처럼 바닷가에 쌓여 있다.

부두(埠頭)는 검은 무덤을 묘지(墓地)처럼 이루고

그 위로 바람은 흘러가고, 검은 바람이 흘러가고

아래론 바닷물이 악우(惡友)처럼 속삭이고

검은 물결이 나직이 속삭이고

어쩌다 우리 인생들처럼

바닷가에 쌓여 있다.

2

억만년의 생성(生成)의 바람소리와

천만년의 변성(變成)의 파도 소리와

하늘을 덮고 땅을 가린 원시림의 아우성과

화산(火山)이 그때마다 구름같이 우우, 달리던 둔(鈍)한 동물들이

캄캄한 지층(地層)으로 지층으로 흘러온 뒤로
용암(熔岩)과 산맥(山脈)의 먼 먼 밑바닥에서
귀머거리 되고, 눈머거리 되어 검은 침묵 속에 죽었노라.
검은 침묵 속에 생성하는 꽃이었노라.

3
출발을 앞둔 부둣가나
마지막 여낭(旅囊)을 둔 종착역에서
우리가 조용히 돌아갈 곳은
사람이여, 당신도 딸기밭
나도 빠알간 불타는 딸기밭
당신이 나를 태우던 불타는 도가니에
내가 당신을 태우니까,
우리가 돌아갈 고향은
온통 딸기밭으로 빨갛게 불타오르는
강렬하게 딸기가 완전히 익는
끓는 밭 연옥(煉獄)이다.

 시작노트

　　정공채(鄭孔采) 시인의 시 「석탄(石炭)」이다. 첫 연에 "어쩌다 우리
인생들처럼 바닷가에 쌓여 있다."고 표현한 것처럼, 이 시인은 혼

돈한 시대적, 정신적 상황을 배경으로 석탄 등의 소재를 원시적, 또는 행동적 힘의 응결로 다루고 있음을 알 수 있다. 여기에서는 석탄이 지니는 이미지나 그 성격을 '묘지'라든지 '딸기' '연옥' 등 다양하게 유추하여 고양된 의식을 내비치고 있다.

처음엔 석탄이 우리 인생들처럼 쌓여 있다 했고, 그 다음엔 석탄의 생성과정이 표현되어있다. 원시림, 화산, 동물들, 지층, 용암, 산맥, 그리고 검은 침묵 속에 생성하는 꽃이 그것이다. 그리고 마지막에는 석탄불의 이미지를 딸기밭으로 유추하고, 불타오르는 남녀의 사랑을 끓는 밭 연옥(煉獄)으로까지 비약하여 표현하고 있다. 그것은 흑암의 불꽃이기 때문이다.

이 연옥이란 죄를 범한 사람의 영혼이 천국에 들어가기 전에, 불에 의한 고통을 받음으로써 그 죄가 씻어진다는 곳을 말한다. 마지막 3연 끝의 "당신도 딸기밭 - 나도 빨간 불타는 딸기밭 - 당신이 나를 태우던 불타는 도가니에 - 내가 당신을 태우니까, - 우리가 돌아갈 고향은 - 온통 딸기밭으로 빨갛게 불타오르는 - 강렬하게 딸기가 완전히 익는 - 끓는 밭 연옥(煉獄)이다."에서 이 시인이 무엇을 말하고자 하는 지는 독자의 몫이다. 시 뿐 아니라 모든 예술은 설명이 아니라 암시적 표현이기 때문이다. 상상의 심화와 확장을 위해서 그렇다.

고백성사

김여정

신부님,
세례받고 반년만입니다.
천주님,
세례받고 반년만입니다.
천주님을 알고부터 유난히
낙엽 소리 우수수 뼛속을 울리는
이 가을에 감히 두렵게도
저는 천주십계 중 여섯 번째인
'간음하지 말라'는 그 계율만은
영 지킬 수가 없습니다. 아니
영 지키기가 싫습니다.

신부님,
제 일생일대 딱 한 번만 간음하고 싶습니다.

천주님,

제 일생일대 딱 한 번만 간음하고 싶습니다.

우수수 잎 다 떨구어 내고

훌훌 옷 다 벗어버리고

외롭게 서 있는

저 캄캄한 너도밤나무 가지에

불붙는 노을이 되어 걸리고 싶습니다.

노을이 되어

저 너도밤나무 속에 불고 있는

번쩍이는 번개 바람과

번개같이 만나고 싶습니다.

우수수 잎 다 떨구어 내고

훌훌 옷 다 벗어버리고

광야에 홀로 선 너도밤나무와

하나가 되고 싶은 제 음심(淫心)에

신부님,

돌을 던지라 하시렵니까.

천주님,

벌을 내리라 하시렵니까.

제 일생일대 딱 한 번만

간음이 익은 감이 되어

하늘을 향해 떨어지게 허락하소서.

제 일생일대 딱 한 번만

간음이 성긴 빗방울이 되어

바다로 향해 떨어지게 허락하소서.

 시작노트

　김여정(金汝貞) 시인의 시 「고백성사」다. 이 시는 시인 자신의 내면의식을 토로할 수 있는 직정적인 동기에서 기인한 것으로 보인다. 이 시 「고백성사」는 시인 자신의 열정적인 내면의식의 표출이 동기가 되었다. 외적 사물에 기인하건 내적 자아의식의 분출에서 기인하건 간에, 어느 쪽을 막론하고 시의 무의식적 동기에 관하여 프로이드의 소망 충족의 이론이나 융의 집단무의식의 이론으로 비춰보게 될 때 억압된 무의식의 폭로라든지 유아기의 성적 경험, 공격적 또는 본능적 에너지 등을 생각할 수 있으나 지나친 이론적 분석은 감상이나 창작에 별로 도움이 되지 않는다.

　시 창작의 욕망이 일어나는 것은 사물을 지각할 때라든지 과거를 회상할 때, 또는 명상하거나 미묘한 심리적 분위기에 빠질 때 등이다. 이러한 요소들은 끊은 듯이 그렇게 따로따로일 수는 없고, 동기의 선후의 차이는 있겠으며 복합적으로 일어나는 경우도 많다.

　이 시를 처음 접할 때 독자는 어리둥절할 것이다. 신부님, 천주님께 간음하고 싶다면서 허락해 달라는 기도가 말이 되는가. 그런데 뒤로 가면서는 이해가 되기 시작한다. 상대가 인간이 아니고 자연이기 때문이다. 자연 만물에는 하느님의 신성(神性)이 내재해 있다. 그렇게 본다면 이 시는 신(神)과 일체 합일을 이루는 셈이 된다. 그러면 왜 이렇게 시를 썼을까. 독자를 유인하는 방법의 하나로 여겨진다. 소설에서는 복선(伏線)이나 서스펜스가 여기에 해당한다.

무관심의 죄

김후란

나는 자선(慈善)을 베풀지 않았다
구둣발 먼지를 먹으면서
인형 같은 아기를 안고
자선을 강요하는
지하도(地下道) 층계의 노란 얼굴의
그 여인을 미워하였다.

걸레 같은 그 여인을
미워하고 원망하면서
선심처럼 동전(銅錢)을 던져주었다.

〈그러나 때로 무관심하게 지나쳤다
한번은 잔돈을 찾다가
성가셔 그냥 와버렸다.〉

그날 저녁 지하도 층계의
노란 얼굴은
나를 따라왔다.
곧바로 내 방으로 들어와
여전히 침묵하는 강요를 계속하였다

식탁(食卓)에 그림자가 무너져 내린다
위(胃)가 아파오기 시작하였다

창밖엔 비가 오는가?
꼭 감은 눈 속의 내 의식(意識)하기 싫은
의식(意識)에 또렷이 좌정(坐定)한
노란 얼굴
선량한 듯 무지한 듯 교활한 듯
말 없는 침입자의 가면(假面)을 벗기고 싶다.

〈그러나, 그러나 무능력은 지붕 밑에 재워야 한다.〉
한밤 내 꿈속에서
층계를 구르고 구르고
한없이 굴러 내리면서 후회하였다.

나는 지식인(知識人)이 아니다.

나는 지성인(知性人)이 아니다.

나는 죄인(罪人)이다.

무관심은 살인 같은 악덕(惡德)이다.

지폐가 든 지갑을

바닷물에 던지려고 허우적거렸다.

오늘 층계는 비어있었다.

먼지 속 지하도 층계

그 셋째 줄에

지난 몇 달 판박이처럼 남아있던

나의 우상은 보이지 않는다.

쏟아지는 햇살에 밀려

차디찬 난간을 꽉 잡았다.

새까만 눈동자 하나가

발길에 채어 굴러간다.

![시작노트] 시작노트

    김후란(金后蘭) 시인의 시 「무관심의 죄」다. 기독교를 신봉한 신
앙인이 이웃을 네 몸 같이 사랑하라고 했는데, 그렇게 말씀대로 살
지 못하고 때로는 무관심의 죄를 범한 데 대한 자책의 심리가 진솔
한 고백으로 드러난 작품이다. 김후란 시인은 여성 특유의 섬세하
고 세련된 면을 보이면서도 삶에 대한 깊이 있는 응시와 탐구라든
지 생명의 존엄성과 아름다움을 추구해온 것으로 보인다. 이 시를

통해서 우리는 자신을 돌아보는 자성의 계기로 삼을 필요가 있겠
다. 이 자성이란 종교와 예술의 본질과 통하기 때문이다. 인간은 피
조물이다. 스스로 생겨난 존재가 아니다. 어떤 에너지의 본체라든
지, 다른 어떤 존재에 의해서 생겨나 존재한다는 사실을 부정할 수
없다. 이 엄연한 사실을 인정한다면, 종교에서 말하는 신이라든지,
과학에서 말하는 조물주, 창조주를 부정할 수도 없다.

분해와 결합 43613

김인섭

43613
이는 육군소위로 임관할 때
나라가 매겨준 고유번호
나의 잘나 빠진 군번이다.

43613
이것을 분해하면
613 세모꼴로 짓고 43은 일곱
앉도 눕도 못할 형국으로
일곱 '7'자 모양새를 보자 해도
고개 뻗고 산다고 뾰루지가 돋는 건지
등허리 정처 없이 꼬이고 꼬부라진 채
오뉴월 깽깽 마른 땅만 내리뜨고 살아온
나의 인생 싹수 일곱 끗.

43613

이를 다시 결합하면 열일곱

가당찮게도 애국은 저 혼자 하는 듯이

육이오가 나던 그해 10월 21일

딱총 들고 놀다가 종아리 맞을 나이,

그 나이 열일곱에 병정 가서

남들 사각모 쓰고 전진할 때

사창리 저격능선에만 들러붙어

플라스틱 헬멧 하나로 세월을 가리고는

남녘으로 떠가는 구름 보면 한숨이고

달 뜨면 눈물이고 하다가

스물셋 헌 신발짝으로 돌아왔으니.

43613

휴전선 총대밭에 두고 온 청춘,

저 메아리도 없는 청춘은 어쩌란 말이냐.

 시작노트

　김인섭(金仁燮) 시인의 시 「分解와 結合 43613」이다. 이 시는 6·25 전쟁 당시의 군번을 소재로 자학하는 작품이다. 군번을 매개체로 하여 시화하는 그 형상화 과정이 경이롭다. 화투 놀음의 '짓고 땅'을 끌어들여 어중간한 7수, 즉 '일곱 끗'이라는 '잘나빠진 군번'으로 자학하고 있기 때문이다. 이 시인은 군번 숫자의 분해와 결합을 통하여 전쟁으로 인해 망가진 자기의 인생을 재해석하는 데에 그 시작 방법이 독특하다.

3번아 5번 찾지 말고

김원명

아들놈 휴대전화의 은어(隱語)들
그 암호를 해독하는 순간에
눈물은 주식(主食)이 되었다.

1번은 손자, 2번은 며느리, 3번은 아들,
그리고 4번은 애완견,
나는 애완견보다 못한 5번이었다.

끝내는 아들 내외가
산 좋고, 물 좋고, 인심도 좋은
시골 고향살이 어떠시겠느냐고
낙향을 유인하는 것이 아닌가!

그래 그게 답이라면 떠나야지 하고

편지 한 장 남기고 길을 나섰다.

3번아, 5번 찾지 말고 잘 살아라
5번이 3번 너를 배 아파서 낳고,
가슴에 싸서 1번처럼 길렀건만,
애완견만도 못하게 밀려난단 말이냐

뻐꾸기는
어미도 모른다고 하지만

고향 가는 길
마을 앞 회관을 지날 적에
먼 산 보며 할미꽃이 묻거든
무어라 대답해야 하느냐.

그저 고향이 좋아서 왔다고
눈길을 피해 얼굴을 돌리는데
남루한 옷자락이 바람결에 떨린다.

돌덩이보다 무거운 발길이
수렁논 소처럼 더듬거려진다.

김원명(金元命) 시인의「3번아 5번 찾지 말고」다. 현대의 고려장이라 할 수 있는 몰인정하고 불효막심한 사회 현실에 대한 따끔한 고언을 순후하게 표현한 작품이다. 아버지나 어머니를 제주도 효도 관광 명목으로 보냈다가 버린 자식이 있는가 하면, 보험금을 노리고 부모를 살해한 패륜아가 세인의 이목을 끄는 현실이다. 그는 이런 사회 현실을 개탄한 나머지 작품으로 형상화한 것 같다. 이 시는 몰상식한 사회 현실을 단적으로 표현한 부도덕 사회의 축도(縮圖)라 하겠다. 그것은 자본주의 사회의 병폐를 처절하게 풍자하고 있어서 우리 스스로 돌아보게 하는 자성의 기회가 되겠다.

깊은 해변

최문자

파고다공원.

노인들이 출렁거린다. 독립선언 이후 여기는 노인들의 허기만 파도치는 해변. 노인들이 하루종일 녹는다. 흰 알약이 녹을 때처럼 표정이 나가고 힘줄이 녹고 질긴 지느러미만 남아서 기형의 유영을 끝내고 엉거주춤 나와 앉은다. 얼어붙은 입술이 태양에 녹는다. 노여움이 서서히 해동되다 허옇게 거품 문다.

가슴 뜯긴 얘기로부터
그림자가 된 빈 시간에 대하여
자모가 뭉개지는 말에 대하여
물체가 된 몸뚱어리에 대하여

종로 3가역. 거품투성이다. 허연 거품이 어둑어둑해지면 희미했던 하루를 뚝뚝 꺾으며 전동차는 3분 간격으로 해변을 출발한다. 없는 모래를 탈탈 털며 더 깊이 빠지러 가는 노인들.
끼리끼리만 알아듣는 거품 속 대화를 파도가 달려와 덮친다.

 시작노트

　최문자 시인의 시 「깊은 해변」이다. 이 시는 변화와 경제성을 중
시하는 현대사회에서 갈 곳을 잃은 구세대에 대한 애정과 연민의
눈길이 느껴지는 작품이다. 탑골공원을 배회하는 노인들도 한때
는 우리 사회의 중심이었다. 파란만장했던 우리 역사의 현장에서
적극적 참여자이기도 했다. 어찌 보면 개인으로서의 삶보다는 국
가와 가정을 위해서 기꺼이 희생 봉사했던 세대이기도 하다.

8 | 관조觀照와 사색思索의 시

예부터 우상(牛上)의 시는 관조(觀照)의 시를 의미하고, 침상
(枕上)의 시는 사색(思索)의 시를 뜻한다고 들었다. 관조의 시는
고요한 마음으로 사물을 정관하는 자세라면, 사색의 시는 깊
이 생각하게 한다. 시를 쓰거나 감상하려면 정밀하고 깊이 생
각해야 한다. 선시(禪詩)에 "대 그림자 마당을 쓰는데 먼지 하나
일지 않고, 달빛이 물속을 뚫는데 흔적도 없다."는 구절이 있
다. 관조와 사색은 바로 이런 명경지수(明鏡止水)를 가리킨다.

요즈음 국회의원 선거를 앞두고 말조심하라고 단속하는
설왕설래 옥신각신하는 게 가관인데, 그게 다 무지의 소치다.
무지란 자기가 모르는 것을 모르는 게 무지다. 물레의 가락은
곧아야 한다. 그게 휘면 언제까지나 떠는 소리를 낸다. 마음
이 더러운데 말이 깨끗할 리 만무하다.

건강한 누에는 아름다운 비단 실을 뽑아내지만, 병든 누에
는 더러운 실을 토한다. 전과자나 음주운전 등 범법자가 나서
는 것은 무지의 소치다. 지기가 모르는 것을 모르는 사람이
다. 그래서 공자는 시에서 사무사(思無邪)를 강조했다. 시를 쓰
는 사람이나 읽는 사람이나 사특함이 없이 관조하고 사색해
야 하는 까닭이 여기에 있다.

귀천歸天

천상병

나 하늘로 돌아가리라
새벽빛 와 닿으면 스러지는
이슬 더불어 손에 손을 잡고,

나 하늘로 돌아가리라
노을빛 함께 단둘이서
기슭에서 놀다가 구름 손짓하면은,

나 하늘로 돌아가리라
아름다운 이 세상 소풍 끝내는 날,
가서. 아름다웠더라고 말하리라……

 시작노트

　천상병(千祥炳) 시인의 시(귀천)다. 이 시인에 있어서 세상사란 소풍 나왔다 가는 것으로 여기는 것으로 보인다. 세상 영욕에 시달렸을 텐데, 현실을 초탈한 자유인으로 살았던 시인의 순박한 목소리가 편안하게 다가온다. 이 시가 단순하면서도 소박한 느낌을 주는 것은, 평범 속의 비범함이랄까, 단념과 초탈에서 오는 달관이 엿보인다.

죽음의 진술이 반복되는 데도 갈등이 없이 맑고 아름다운 언어가 이어지는 것은 욕심 없이 사는 무욕의 달관에서 기인한 듯하다. 이 시의 매력은 현실의식의 초탈에 있다.

죽음의식에 천착하면서도 불안과 공포감이 느껴지지 않는다. 오히려 '소풍' '하늘' '새벽빛' '노을' '구름' 등의 언어를 통해서 암울하거나 침울함이 없이 긍정적이고 낙천적인 자세로 아름다움을 심화, 확대하는 자세를 높이 살만하다

달을 먹은 소

이성선

저무는 들판에
소가
풀을 베어 먹는다.

풀잎 끝
초승달을 베어먹는다.

물가에서 소는
놀란다.
그가 먹은 달이
물속 그의 뿔이 걸려있다.

어둠 속에
뿔로 달을 받치고

하늘을 헤엄치고 있는 제 모습 보고

더 놀란다.

　모든 예술은 상상으로 이루어진다. 그중에서도 특히 시는 창조적(생산적) 상상이 요구된다. 시는 일상생활에서 통용되는 실용적 언어로는 효과를 거둘 수 없다. 따라서 고도한 상상력이 필요한 경우에는 비실용적이면서도 신비적 언어를 선택해야 한다.

　여기에서는 소가 풀잎 끝에 있는 초승달을 베어 먹는다거나, 그 달이 물속 소의 뿔에 걸려있는 것을 보고 소도 놀라는 것으로 되어 있다. 시는 이처럼 사실의 기록이 아니라 아름다움을 추구하는 상상의 표현이다.

　시인은 동기야 현실에서 선택할 수 있으나 그 현실 이상, 사실 이상, 당위 이상의 새로운 최초의 의미를 창출한다. 이 시 역시 초현실적으로 새로운 의미를 창출하고 있다.

지리산

- 화개사의 아침

권천학

부지런한 산안개

화개사 벗꽃잎들과 살 섞어

몽정의 아침 피워올리고

해탈의 구름무늬 휘감아 내리는

산바람. 이름을 말하지 않는 산새 서넛

밤새 다듬어낸 목청 돋구더니

은실 올올이 뽑아내어

지리산의 아침을 짜고 있는데.

더덕 냄새나는 산채의 사내 품에서

취해 어지러운 살 냄새 씻어내느라

밤새도록 불일폭포 오르내린

고단한 늦잠

까닭을 알기나 할까? 새는

속세의 것들은.

 시작노트

　권천학(權千鶴) 시인의 시「지리산」이다. '화개사의 아침'이라는
부제가 붙은 이 시는 산의 냄새와 여자의 냄새를 풍기고 있다. 이
여류시인은 성속(聖俗), 성과 속을 자유롭게 넘나들고자 하는 심리
가 작용하고 있다. 인간과 자연을 일치시키면서 자연스럽게 동화
한다. "벚꽃 잎들과 살 섞어"라든지, "뭉정의 아침 피워올리고" 등
이 그것이다. "더덕 냄새나는 산채의 사내 품에서 취해 어지러운 살
냄새"도 역시 인간과 자연을 얼버무려서 아리송하게 하고 있다. 이
처럼 아리송한 암유(暗喩)를 통해서 시의 매력이 살아나기도 한다.

버들강아지

김인섭

꽃도 아닌 것이
잎사귀도 뭐도 아닌 것이
눈보라 겨울 길을
빈 호랑버들 가지로 나면서
밤이고 낮이고
풀쐐기처럼 하고 앉아
올올히 까끄라기 톱니 같은
속눈썹만 키우다가
봄이 오면
뒷동산 새소리
소소리 패랑 함께
온 산천 들판으로
하얗게 하얗게 바둥거릴
하늘 동네 바람둥이.

　김인섭(金仁燮) 시인의 시 「버들강아지」다. 이 시에서는 '버들강아지'를 하찮은 존재로 보면서도 봄이 오면 매력이 넘치는 면을 십분 드러냄으로써 자신을 포함하여 존재감이 없는 사물에 대한 연민과 함께 보상심리가 작용하는 것으로 보인다. 이 시가 재미있게 읽히는 까닭은 언어 선택의 적절성에 있다. 가령 "풀쐐기처럼 하고 앉아"라든지, "속눈썹만 키우다가" "온 산천 들판으로 - 하얗게 하얗게 바둥거릴 - 하늘동네 바람둥이"가 그것이다. '풀쐐기'는 '버들강아지'를 닮은 사물이고, '속눈썹' 얘기는 봄 맞을 준비를 은근히 은폐하고 있기 때문이다. 그리고 마지막 결구는 자기 세상 만난 듯이 자유 천지를 구가하겠다는 바람을 보이고 있다.

청보리밭에 오는 봄

손해일

진눈깨비 날리던 겨울엔
생솔가지 군불 지핀
아랫목 뜨신 맛에 살았다.

이불 홑청을 벗기듯
청보리밭
살얼음 녹이는
돌개울 물소리

비늘 돋친
바람에 실리는
씀바귀의 봄 몸살
은쟁기 보습에
뭉툭뭉툭

겨울이 잘려 나간다.

젖은 나목의 가지마다
불을 켜는 눈망울들
오요요
기지개 켜는 버들개지
몽정(夢精)하는 들녁
내 이제 들로 나가
더운 피 흐르는 흙살을 보듬고
꽃씨를 뿌리리라.

시작노트

  손해일(孫海鎰)의 시 「청보리 밭에 오는 봄」이다. 봄이 오는 전원
에서 향토정서가 물씬 풍기는 시다. 첫 연부터 "진눈깨비 날리던 겨
울엔 - 생솔가지 군불 지핀 - 아랫목 뜨신 맛에 살았다."가 그것이
다. 자연 속의 향토정서는 친밀감을 더한다. 그것은 생활문화를 통
해서 약속해 있는 언어이기 때문이다. "은쟁기 보습에 - 뭉툭뭉툭
- 겨울이 잘려 나간다."는 표현에도 호감이 간다. 역시 시는 표현해
야 한다.

시인詩人

이정록

몽당연필처럼,
발로 쓰고 머리로는 지운다.
면도칼쯤이야 피하지 않는다.

몽당(夢堂)의 생,
자투리에 끼운 볼펜 대를 관(冠)이라 여긴다.
하얀 뼈로 세운 사리탑!
끝까지 흑심(黑心) 품고 산다.

한 사람의 손아귀,
그 작은 어둠을 적실 때까지.
검게 탄 맘의 뼈가 말문을 열 때까지.

이정록 시인의 시 「시인(詩人)」이다. 인사는 만사라는 말이 있는데, 시의 창작에도 그와 다르지 않다는 생각이 든다. 이 시인은 우선 관찰력이 예리하고, 언어의 취사선택 능력도 뛰어나다. 이정록 시인은 몽당연필과 시인을 동일시하고 있다. 몽당연필도 아랫부분은 연필심이라는 흑연이 있고 윗부분엔 지우개가 있을 테니까 "몽당연필처럼, 발로 쓰고 머리로는 지운다."는 말에 수긍하게 된다. "몽당(夢堂)의 생"도 적절한 표현인데, 절묘하게 맞아 떨어진다. 몽당연필의 그 '몽당'을 꿈 몽夢자 집 당堂자, 몽당夢堂. 꿈의 집이니 바로 시인을 의미하게 된다. 그리고 끼우는 볼펜 대를 관(冠)으로, 연필심을 검을 흑(黑)자 마음 심(心)자 흑심(黑心)으로 명명(命名)하는 순발력에 놀라움을 금치 못한다.

손을 흔드는 것은

이창년

우리는 손을 흔든다. 헤어지면서
흔드는 손이 아스라할 때까지
고개 돌려보고 또 돌리고는
뒷걸음치다가 사라진다.
우리의 거리는 보이지 않는 만큼 멀어지고
문득 보고 싶을 때
해질녘 강가 미루나무도 예사롭지 않더라.

손을 흔드는 것은 얼마만큼의 시간 뒤에
만날 것을 약속하지만
더러는 영영 못 만날 수도 있다는 것을
나이 들면서 알게 되고
잊혀져 가는 사람들 가운데
저미는 그리움 있다면

얼마나 고맙고 소중한 것이냐

이제는 외로움이 나의 것만이 아니라는 걸

떠가는 구름 보고 알 수 있듯이

한 번쯤 헤어졌던 곳에 와서

어두운 밤 별을 헤어도 보고

손을 흔들어 보는 것도 야속한 것만은 아니야

흰 머리 바람에 날리며

주름 잡힌 눈에 핑그르르 고이는 것 있어

별빛이 흐리다.

시작노트

　이창년(李昌年) 시인의 시 「손을 흔드는 것은」이다. 인생에서 느껴지는 황혼(黃昏)의 애상(哀想)을 다룬 작품이다. "해질녘 강가 미루나무도 예사롭지 않더라"에서 느껴지는 바와 같이, 나이가 들면서 사물들이 하나 하나 눈여겨 보여지는 현상에서 이 시인이 가난한 시간에 기대고 있음을 알 수 있다. 얼핏 보면 말하듯이 수월하게 설명조로 쓴 것 같이 보이지만, 다시 들여다보면 마치 해장국에 시래기 녹아지듯 그렇게 언어가 자연스럽게 녹아져 있음을 알게 된다.

봄

엄한정

소문 들었냐며
숲속에서 기다린다고
가보면 안다고
바람이 속삭인다.

나른한 몸을 깨워
숲속을 서성대면
청설모는 나무 위에
솔방울을 따 던진다.

밝은 날
양지에 향긋한 솔씨
산고(産苦)로
가랑잎이 들먹인다.

바람은 겨울 이불을 걷고
동천(冬天)에서 날아온 새는
이제 모두들 일어나라고
물오른 실가지를 흔들고 있다.

 시작노트

　엄한정(嚴漢晶) 시인의 시 「봄」이다. 즐겁고 편안함을 주는 시다.
시인이면서 아동문학가인 엄한정 시인은 박목월 시인에게서 동시
를, 서정주 시인에게서 자유시를 사사했다. 염소(念少)라는 호도 서
정주 시인께서 염소처럼 생겼다고 지어준 아호(雅號)다. 시가 이처
럼 편안함을 주기 위해서는 우선 시인 자신부터 편한 사람이 되어
야 한다.

일기 日記

허세욱

내가 새 책을 사고
새 책갈피에다
모월 모시 어디서 샀노라
기록하면, 그것은 낙서가 아니라
영원에 등기하는 일이다.

내가 오늘 청산에 올라
매봉까지 뚜벅뚜벅
층계 밟는 것을 기록하면, 나의 오늘은
일기에 살아남는다.

그 날들은
예의 썰물이 아니라
책갈피와 일기에 남아

내가 쓸모없이 허전할 때
나를 거듭나게 한다.

 시작노트

허세욱(許世旭) 시인의 시 「일기(日記)」다. 동양적 정서와 철리를
한시적인 의경(意境)으로 표현한 허세욱 시인은 이 작품에서도 그
런 느낌을 갖게 한다. 일기를 쓰게 되면 그것은 낙서가 아니라 영원
에 등기하는 일이며 나를 거듭나게 한다는 어떤 철리(哲理)라고 하
는 현묘한 이치를 터득하게 한다.

바람 그 뒷모습이

허세욱

하늘이 깜깜하게
눈보라 보라치는 날
나는 멀리 타관 가는
기차를 타고 싶다.

바다가 보이는
작은 정거장에 내려
그 눈송이 우러러
두 손을 모으고 싶다.

뉘집 싸리 울타리
건넛방 아궁이에
청솔가지 태우는
송진 냄새를 마시고 싶다.

이마를 때리고
뒤를 힐끔거리며
어디론지 도망가는
바람 그 뒷모습이 보고 싶다.

 시작노트

허세욱(許世旭) 시인의 「바람 그 뒷모습이」다. 이 시는 향토정서
가 물씬 풍기는 작품이다. 이 「바람 그 뒷모습이」에는 동경과 향수
가 향토정서로 내비치고 있으나 결구에 나타나는 '바람'의 진면목
은 독자의 상상이나 해석에 맡겨두어야겠다. 이 토속적인 언어는
성급히 결론을 내리지 않는 동양적 여백을 생각하게 한다. 특히 "뉘
집 싸리 울타리 - 건넛방 아궁이에 - 청솔가지 태우는 - 송진 냄새를
마시고 싶다."에서 경험 여부에 따라 감상이나 이해 정도가 다르게
나타날 수 있다고 여겨진다.

호도 두 알

허세욱

어느 날
북한산에서 굽어본 서울은
작은 바둑판
어느 밤
비행기에서 만난
서울은
출렁이는 불바다.
언젠가
우주선에 찍힌
조선 반도는
바람처럼 뛰어가는
토끼 한 마리
꿈속에 잡힌
지구와 달이

머얼리 굴러가는

작은 호도 두 알

손바닥

장심에 쥐고

뽀드득뽀드득

놀고 싶다.

허세욱 시인의 시 「호도 두 알」이다. 이 시는 절제된 언어의 간결
미와 함께 시각적 형태의식에의 점진적 확대를 꾀하다가 달마의
미소처럼 단순하면서도 입체적인 해학적 선풍(禪風)을 보이는 작품
이다. 허세욱 시인은 북한산에서 굽어본 서울, 비행기에서 본 서울,
우주선에서 찍힌 조선반도, 꿈속에 서 잡힌 지구와 달로, 현미경적
눈에서 망원경적 눈으로 확대하다가 결국에는 지구와 달을 두 개
의 호도 알로 축소 유추하여 '놀고 싶다'는 마무리로 단순화하면서
동양적 달관을 내비치고 있다. 이는 부처님 손바닥 위의 손오공이
연상되는 동양적 호연지기(浩然之氣)와 통하는 일면을 암유(暗喩)한
다 하겠다. 허세욱 시인은 대학교수, 중국 문학자인데, 타계했다.

h   운치韻致와 응축凝縮의 묘미妙味

　현대인은 운치(韻致)를 잃었다. 운치란 고아한 소리와 풍치를 말한다 "시간은 돈이다"는 말이 있을 정도로 속도전에 빠져 살다 보니 시와 음악을 잃었다. 산문시가 대두되면서 시에서 운율이 사라졌고, 산문시인지 수필인지 구분하기 어려울 정도로 응축의 묘미를 찾아보기 어렵게 되었다.

　모든 예술은 표현되어야 한다. 시어로 표현되지 않고 자연발생적으로 설명하면 시라고 할 수 없다. 소금에 짠맛이 없으면 소금이라고 할 수 없듯이, 시가 아름다움을 잃으면 시라고 할 수 없다. 따라서 고아한 운치가 없는 글을 시라고 할 수 있겠는가.

박넝쿨 타령

김소월

박넝쿨이 에헤이요 벋을 적만 같아선
온 세상을 얼사쿠나 다 뒤덮는 것 같더니
하드니만 에헤이요 에헤이요 에헤야
초가집 삼간을 못 덮었네.

복숭아꽃이 에헤이요 피일 적만 같아선
봄동산을 얼사쿠나 도맡아 놀 것 같더니
하드니만 에헤이요 에헤이요 에헤야
나비 한 마리도 못 붙잡데.

박넝쿨이 에헤이요 벋을 적만 같아선
가을 올 줄 얼사쿠나 아는 이가 적드니
얼사쿠나 에헤이요 하룻밤 서리에 에헤요
잎도 줄기도 노그라붙고 둥근 박만 달렸네.

　김소월 시인의 시 「박넝쿨타령」이다. 이 시는 인생을 체념과 함께 달관한 듯한 내면의식을 드러내 보이고 있다. 우리의 전통적인 4、4조 율조를 활용하여 효과음을 내고 있다. 젊은 시절에는 청운의 뜻을 품고 기고만장하지만, 늙고 병들면 빈손이 되고, 흥보처럼 새끼들만 주렁주렁 줄줄이 남겨둔다는 암시를 남기는 작품이라 하겠다.

　한국 전래 타령조로서 흥겨운 가락을 뽑아 올린 '박넝쿨 타령'은 한국인의 심정에 내재해 있는 민족혼을 공감하게 한다. 물론 독자에 따라서 차이가 있을 수 있겠지만, 우선 감상과 이해를 위해서는 이 정도 말하는 게 바람직하겠다.

끝없는 강물이 흐르네

김영랑

내 마음의 어딘 듯 한 편에
끝없는 강물이 흐르네
돋쳐 오르는 아침 날 빛이 뻔질한
은결을 돋우네

가슴엔 듯 눈엔 듯 또 핏줄엔 듯
마음이 도른도른 숨어있는 곳
내 마음의 어딘 듯 한 편에
끝없는 강물이 흐르네

 시작노트

　　김영랑 시인의 시(끝없는 강물이 흐르네)다. 그는 자기의 마음
을 '강물이 끝없이 흐르는' 상태라든지, 아침 날 빛이 빤질한 은결

(은물결)을 돋우고 마음이 도른도른 숨어있는 심리상태를 투명하게 보여주고 있다. 김영랑 시인은 리듬을 중시하는 음악의 시인이다. 그는 마음의 평화와 찬란함을 꿈꾼다. 그는 특별한 청각적 음향의식과 시각적 색채의식을 지녔다.

그는 외계의 아름다운 사물이나 음색을 내면화하여 평온하기를 바란다. 그는 순간순간 직관적으로 포착한 사물과 음색을 내면화한다. 이는 일제 치하에서 슬기로운 자기방어이기도 하다. 그런 질곡에서도 그는 놀랍게도 찬란한 슬픔을 거리낌 없이 읊었다.

한때 그 유명한 최승희(崔承喜) 무용가와 열렬히 사랑했으나 성사되지 않았고, 개성 호수돈 출신 김귀련(金貴蓮)과 재혼한 것을 보면 슬픔이 많았을 것을 미루어 짐작할 수 있다. 1930년대 박용철, 정지용 등과 더불어 시문학 동인으로 시작 활동을 활발하게 전개한 그에게 북에는 김소월이 있고, 남에는 김영랑이 있다는 찬사는 '찬란한 슬픔'으로 집약된다.

오매 단풍 들것네

김영랑

"오 - 매 단풍 들것네"
장광에 골붉은 감잎 날러오아
누이는 놀란 듯이 치어다보며
"오 - 매 단풍 들것네"
추석이 내일모레 기둘리리
바람이 자지어서 걱정이리
누이의 마음아 나를 보아라
"오 - 매 단풍 들것네"

 시작노트

　이 시는 감탄사로 시작하는 「오 - 매 단풍 들것네」다. 이는 마치
유리 쟁반에 옥구슬을 굴리는 듯 맑기가 그지없는 가락이다. 그의
아름답기 그지없는 시상(詩想)은 청각과 시각, 후각 등 오관이라는

감각기관을 작동하여 펼치고 있다. 가냘프고 질긴 순수서정을 세련된 언어와 리드미컬한 율조로 읊은 그의 시는 윤선도의 서정과 일맥상통하는 점이 있다. 시문학파에서는 정지용의 감각적 기교와는 달리하는 순수시의 한 봉우리를 이루었다.

김영랑(金永郎) 시인은 1903년 전남 강진에서 태어났다. 그는 향리의 5백석 부잣집에서 한학을 배우면서 자랐고, 상경하여 기독교 청년회관에서 영어를 수학했다. 휘문의숙에 입학, 3·1운동 때에는 강진에서 의거하려다 일경에 체포되어 대구형무소에서 6개월간 옥고를 치렀다. 이듬해 도일하여 아오야마학원 중학부 재학시절에는 독립투사 박열(朴烈)과 같은 하숙방에 있었고, 평생의 친구 박용철(朴龍喆)과 친교를 맺게 되었다.

도쿄 대진재로 학업을 중단하고 귀향, 무용가 최승희(崔承喜)와도 한때 열연(熱戀)했으나 개성 호수돈 출신 김귀련과 재혼했다. 그는 서양 명곡과 국악, 아악에도 취미가 대단하여 시 창작에도 영향을 미친 것으로 보인다. 그의 시작 활동은 1930년 박용철, 정지용 등과 더불어 '시문학(詩文學)' 동인으로 참가, 주옥같은 서정시를 발표했다.

일제 말기에는 창씨개명과 신사참배를 거부했고, 광복 후에는 향리에서 우익 민족운동에 참가하여 대한독립촉성회에 관계했으며, 강진 대한청년단장을 역임하기도 했다. 시인으로서의 그는 목적의식을 배제하고, 유미적이며 이상적인 순수 낭만적인 색채를 띠었다. 6·25 전쟁 때에는 서울에서 은신하다가 복부에 폭탄 파편을 맞고 사망, 망우리 고개에 묻혔으며, 광주 공원에 시비가 세워졌다.

춘설春雪

정지용

문 열자 선뜻!
먼 산이 이마에 차라.

우수절(雨水節) 들어
바로 초하루 아침,
새삼스레 눈이 덮인 뫼뿌리와
서늘옵고 빛난 이마받이 하다.

얼음 금가고 바람 새로 따르거니
흰 옷고름 절로 향기로워라.

웅숭거리고 살아난 양이
아아 꿈 같기에 설어라.

미나리 파릇한 새순 돋고

옴짓 아니기던 고기 입이 오물거리는,

꽃 피기 전 철 아닌 눈에

핫옷 벗고 도로 춥고 싶어라. -

 시작노트

    이 시는 정지용(鄭芝溶) 시인이 『문장(文章)』(3호, 1939.4) 지에 발표한 「춘설(春雪)」이다. 이 시는 감각적인 삽화를 보는 듯한 느낌을 준다. 어떠한 감정이나 관념이 끼어들 틈이 없이 참신한 감각 언어로 채워져 있다.

    "문 열자 선뜻!- 먼 산이 이마에 차라."에서는 거시적 먼 산이 미시적 이마에 차가운 촉감으로 다가온다. 이 시에서는 겨울 속의 봄과 봄 속의 겨울이 교차하는 한난기류(寒暖氣流)에 나타난 여러 형태를 감각으로 표현하고 있다.

    정지용 시인은. 1903년 충북 옥천에서 태어났고, 1953년에 타계했다. 교토(京都) 도시샤대학(同志社大學) 영문과 졸업. 광복 후 이화여전 교수 역임, 경향신문 편집국장. 독실한 가톨릭 신자였으나 조선문학가동맹과 가까이 지냈다. 그러나 보도연맹에 가입, 남침한 북한군의 강요로 문화선무대에 끌려갔다가 포로가 되었다. 그 후 사망. 사물의 객관적이며 간결한 소묘에 의해 이미지즘의 투명한 서정 세계를 보였다. 이상(李箱)의 심리적인 시 「꽃나무」 외 2편(가톨릭 청년 1호, 1933. 6. 10) 등을 발표하게 함으로써 그를 시단에 등장시켰고, 『문장(文章)』(1939.2.)을 통해서 조지훈(趙芝薰), 박두진(朴斗鎭). 박목월(朴木月) 등 청록파 시인들을 등용시켰다.

정지용 시인은 섬세하고 유니크한 언어 구사로 대상의 선명한 그림을 보여, 한국 현대시의 새로운 이미지즘의 국면과 무욕의 경지를 개척했다. 1930년대 전후에 있어서 한국시를 '언어의 예술'이라는 자각에서 현대시의 새로운 국면을 개척한 그의 공적은 지대하다. 그런데, 광복 후의 문단 행각은 그 자신과 한국 문단의 불행이요 손실이라 하겠다.

조각달 타령

김동리

제 신명 바치면 누구나 명창
목쉬어 마당 나오면 설운 나그네
그 사연 인제나 웃음에나 부칠까
내 어설피 졸다 꿈결에 여인
열댓 살 난 달조각 같은 계집아이
언제 어디서고 잊을 길 없어
낯선 고장 찾을 적마다
찻집 술집 보는 족족 기웃거려
내사 차라리 웃읍지러 웃읍지러
달 조각 같은 계집아이
하늘 아래 있으련만
땅 위 골목이사 하 여러 갈래
칠십 평생 헤매어도 찾을 길 없네.
그 해사 말고 개울마다 개구리

얼을 빼고 와글대는 윤사월 저녁
보리피리 불며 넘던 무질레 고개
찔레꽃에 걸려 있던 조각달아

----

* **무질레** : 갓 돋아난 찔레 가지.

 시작노트

    김동리(金東里)의 시 「조각달 타령」이다. 그는 소설가로 유명하지만 초기에는 시를 썼다. 이 시는 타령조인 만큼 청각적 음향의식이 짙게 나타난다.

문둥이

서정주

해와 하늘빛이
문둥이는 서러워
보리밭에 달뜨면
애기 하나 먹고
꽃처럼 붉은 울음을 밤새 울었다.

✎ 시작노트

  "꽃처럼 붉은 울음" 이러한 이미지는 외적 세계, 실제로 일어나고 있는 문제가 아니라, 비현실적 상상 세계의 진실성 문제다. "꽃처럼 붉은 울음"은 꽃과 울음이 어울려 현실 세계에서는 발견할 수 없는 새로운 이미지의 세계, 처절하기 이를 데 없는 극한적 비극을 상징하고 있다. 독자에게 상상력으로 작용하는 강력한 에너지를 이 상징적 사물이 가지고 있다고 하겠다. 시는 '언어의 예술'이라는 일차적 의미가 여기에 있다.

샘도랑집 바우

황송문

가까이 가지도 않았습니다.
탐욕의 불을 켜고
바라본 일도 없습니다.
전설 속의 나무꾼처럼
옷을 숨기지도 않았습니다.

그저 그저 달님도 부끄러워
구름 속으로 숨는 밤
물소리를 들었을 뿐입니다.
죄가 있다면 그 소리 훔쳐들은 죄밖에 없습니다.
그런데, 그런데, 그 소리는 꽃잎이 되고 향기가 되었습니다.
껍질 벗는 수밀도의 향기……
밤하늘엔 여인의 비눗물이 흘러갑니다.

아씨가 선녀로 목욕하는 밤이면
샘도랑은 온통 별밭이 되어
가슴은 은하(銀河)로 출렁이었습니다.
손목 한번 잡은 일도 없습니다.
얘기 한번 나눈 적도 없습니다.
다만 아슴푸레한 어둠 저편에서
떨어지는 물소리에
정신을 빼앗겼던 탓이올시다.

시원(始原)의 유두(乳頭) 같은
물방울이 떨어질 때마다
머리카락으로 목덜미로 유방으로 허리로
그리고 또……
곡선의 시야(視野) 굼틀굼틀
어루만져보고 껴안아 보던
그 달콤한 상상의 감주(甘酒),
죄가 있다면 이것이 죄올시다.

전설 속의 나무꾼처럼
옷 하나 감추지도 못한 주제에
죄가 있다면
물소리에 끌려간 죄밖에 없습니다.

이 시는 「샘도랑집 바우」다. 전라북도 임실군 오수면 오수리에서도 또 나누어진 자연부락은 동후리였다. 그 동후리에서도 웃몰(上里)쪽 들녘으로 나가는 마지막 집이 황 노인 집이었다. 그 집 샘에서는 여름마다 그 샘 옆구리에서 시원한 생수가 솟아 흘렀다. 밤이면 우리 또래의 조무래기들이 반딧불을 잡으러 들로 나갔다. 반딧불을 병에 담아와서 풀어놓으면 모기장 여기저기에서 별처럼 반짝였다.

그 마을은 농촌이라 밭일을 하고 돌아온 여인들이 깊은 밤에 그 샘도랑에서 목욕을 하였다. 나이 어린 종내기들이 반딧불을 잡아 들고 귀가하다가 그 앞을 지나지 못한다. 지나가지 못한다는 말보다는 지나가지 않는다고 해야 옳을 것이다. 밤하늘엔 새털구름 조개구름이 떠 있고, 달이 그 사이에서 들어갔다 나왔다 했다.

달님이 구름 사이로 나오게 되면 그 샘도랑 곡선의 시야로 시선을 모은다. 사실 노출되면 그저 그렇고 그럴 텐데, 세월이 흐를수록 상상이 새끼를 쳐서 아름다움을 증폭시킨다. 소년 시절의 경험 한 가지는 여기까지다.

이 「샘도랑집 바우」는 시인의 상상에 의해서 탄생한 시다. 그 샘도랑집에는 이 시에 나오는 그런 여인은 없었다. 황 노인과 그 노인의 아들, 며느리가 있고, 손자가 있을 뿐, 시에 나오는 그런 여인은 없었다. 그런데 어떻게 아름다운 시로 형상화(形象化)할 수 있었을까. 그것은 상상의 집짓기라 하겠다. 생산적(生産的) 상상(想像), 창조적 상상으로 아름다운 집을 짓는다.

이 시의 배경은 샘도랑이다. 그것은 소년 시절에 보았던 기억의 잔상(殘像)이라는 이미지를 재생시킨 것이다. 그리고 샘도랑집의

'바우'라는 인물은 시인 자신일 수도 있고, 문학 작품에 나와 있는 '벙어리 삼룡이'나 '바보 용칠이', 또는 '노틀담의 꼽추' 같이 순박한 인물을 생산적 상상의 힘으로 끌어와서 결합하고 변화시켜 창작한 것이다.

심리적으로는 주인공 화자처럼 무식하지만 순박한 바보 같은 인물이 되어서 지극히 순수한 사랑을 표현한 것이다. 이것은 좀 우언적(寓言的)이기도 하다. 그 샘도랑집 바우는 구체적 행동이 없다. 그러나 내면세계로 들어가면 아주 에로틱하다. 이것은 상상의 단술이라 하겠다. 시인은 연금술사처럼 언어의 감주(甘酒)를 맛있게 빚어 만들어야 한다.

선녀와 함께 산 나무꾼을 끌어들였고, 껍질 벗는 수밀도(水蜜桃)를 끌어들였으며, "밤하늘에 여인의 비눗물이 흘러간다"고 했다. 여인들이 목욕하면 비눗물이 샘도랑을 흘러갈 텐데 왜 밤하늘에 흘러간다고 했을까.

천상의 선녀와 지상의 나무꾼이 함께 사는 것처럼, 샘도랑집 바우의 마음도 동일시하고자 하는 심리다. 이 바우는 아씨를 선녀로 여기고 있다. 바우라는 청년이 상상으로 그려보는 그림이다. 선녀처럼 목욕하는 아씨가 물을 끼얹을 때마다 유두 같은 물방울이 머리카락으로 목덜미로 유방으로 허리로, 그리고 또 그 아래로, 상상을 극대화한다.

그리고 마음대로 어루만져보고 껴안아 보기도 한다. 그렇게 대리만족을 하기도 한다. 그런데, 마지막 결구는 "물소리에 끌려간 죄밖에 없습니다."라고 시침을 뚝 뗀다. 소도둑이 자기는 소의 끈을 잡았을 뿐이라고 하듯이, 물소리에 끌려간 죄밖에 없다고 시치미를 뗀다. 이 아이러니가 재미있다. 이 시를 통해서 교훈 삼을 점은 '순수에의 향수'와 '생산적 상상'을 통한 표현(表現)이라 하겠다.

돌

황송문

불 속에서 한 천년 달구어지다가
산적이 되어 한 천년 숨어 살다가
칼날 같은 소슬바람에 염주(念珠)를 집어 들고

물속에서 한 천년 원 없이 구르다가
영겁의 돌이 되어 돌돌돌 구르다가
매촐한 목소리 가다듬고 일어나

신선봉(神仙峰) 화담선생(花潭先生) 바둑알이 되어서
한 천년 운무(雲霧) 속에 잠겨 살다가
잡놈들 들끓는 속계(俗界)에 내려와
좋은 시(詩) 한 편만 남기고 죽으리.

황송문(黃松文) 시인의 시「돌」이다. 이 시는 절대 세계를 추구한다. 우리의 현실은 절대적일 수가 없고, 상대적일 수밖에 없다. 그러나 인간은 보다 안전하고 완전한 절대 세계를 추구한다. 시라고 하는 것, 문학이라고 하는 것, 예술이라고 하는 것은 사실적이거나 일상적인 상식을 초월하여 비일상적인 현실이나 상식 이상의 것을 자유롭게 추구하고자 한다.

시인은 언어를 통하여 마음을 빨래하고자 한다. 정제되고 승화된 시어로써 마음을 빨래하고 곱게 펴나가는 정화를 꾀한다. 고난의 극복을 통하여 인생을 빨래하고 영혼을 아름답게 펴나가고자 한다. 그것은 마치 발효하는 술이나 간장과도 같은 성질의 것이다. 술이나 간장이 완성되는 과정은 한 편의 시가 완성되는 과정과도 흡사하다. 간장이 모든 음식에 들어가 맛을 내듯이, 이 세상을 맛들게 하기 위해서는 잘 썩어야 하는 메주와 부패를 막는 소금이 서로 균형 있게 조화로워야 한다.

풍경風磬 소리

김동수

뎅그렁
뎅그렁 풍경 소리

마두금(馬頭琴) 하나
목에 걸고

뎅그렁 뎅그렁
심장을 갉아
바람을 갉아

그대 찾아 울어 대는
돌(石) 바람 소리

산사(山寺)

추녀 끝에 매달려

허공을 스쳐
하늘(天) 끝에 우는

뎅그렁 뎅그렁—

머-언 산울림 소리—

 시작노트

　2연이 "마두금(馬頭琴) 하나 - 목에 걸고"라고 표현되어 있는데, 마두금은 목에 거는 악기가 아니고 해금처럼 앞에 두고 연주하는 악기다. 2연의 이런 표현은 추녀 끝에 매달린 풍경(風磬)을 마두금에 비유한 것이라 할 수 있고, 또한 '목에 걸고'라는 짧은 어구(語句)는 인간 삶의 궁극을 향하여 목숨 걸고 수련해 나가는 치열한 인간실존의 현장을 떠올리게 한다. 즉 2연의 '마두금'은 풍경 소리를 은유한 것이면서 동시에 인간실존의 아스라한 현장을 담아내는 상징어인 것이다. 지극히 짧은 몇 개의 시어들로 시 전체의 시어들이 새롭게 깨어나게 된 것이다. 사이사이 배치한 "뎅그렁 뎅그렁" 소리는 음향효과로서 시적 리얼리티를 부여하고 있으며, 4연의 "심장을 갊아 - 바람을 갊아"는 몽골 초원과 사막에서 유목민의 시련으로 다가오는 모래바람을 떠올리게 한다.　　　　- 김광원 시인의 평설 -

봉개동

김종원

타버려싱게.*
아홉 살 적 풋대추 찾아 기어오르던
안마당의 대추나무도
다 타버리고 어싱게.

날만 새면
거르지 않던 동네 식개
영장집* 가마솥도
인젠 찾아볼 수 어싱게.*

----

* **타버려싱게** : 타버렸네
* **영장집** : 초상집
* **어싱게** : 없네

여름이면 갈중이 풋감 물들이고
겨울 한낮엔
푹푹 내려 쌓인 돌담 눈길로
키보다 큰 꼬리연 입김처럼 날리던
중산부락 나의 봉아오름.

할아버지는 오척 단구
술 담배 입에도 못 대신 대 쪽 같은 선비.
집 한 채 다 타고 잿더미만 남던
사삼 사건에도
눈시울 한번 안 적시더니

안방 다락 이불 베개 삼던 한서적 다 타고
불꽃 되어 날을 땐
손자처럼 발을 구르신
김해 김씨 문중의 어른.
아, 그 법 없이도 살 수 있던 내 할아버지는
지금 봉아오름을 떠나고 어싱게.

타버려싱게.
글만 알고 곡식 모르던 툇마루의 버선발
꿈 심던 뒷마당의 죽순도
다 타버리고 어싱게.

　이 시 「봉개동(奉盖洞)」은 1948년 제주도에서 발생한 남로당(남조선노동당, 해방 후 남한의 공산주의 정당)이 무장봉기를 일으켜 경찰서를 습격하고 무기를 탈취, 사건이 커지자 군경의 진압과정에서 많은 희생자를 낸 4·3사건을 한학자인 김종원 시인의 할아버지 얘기와 그의 추억을 비벼 형상화한 작품이다. 제주 공항에서 택시로 40분 남짓 거리인 이 중산 간 마을은 김종원 시인(영화평론가)의 본적지이기도 하다. 찔레꽃이 휘늘어진 개천 길을 잰걸음으로 앞서가는 할아버지를 따라가느라 힘겨웠던 유년 시절의 기억이 새롭다면서, 시의 지역적 특색을 살리기 위해 제주 방언을 구사했다고 한다.

강냉이 사설辭說

김종원

배고프면 죽 한 그릇

밤은 짧지만

강냉이가 돼서

퉁퉁 부은 붕대가 돼서

어머니는 어디 있길래

다 뚫어진 고무신

고달픈 문 앞에

배고프면

동전 한 알

밤은 짧고

밥 한술에 오늘도 석탄을 줍지만

단기와 바꾼 외환은행 주판 위에

꿈은 타지만

옥수수 노란 물감
한여름의 작열을
하모니카로 부는 열다섯
물오른 동심 속에
어디 있길래 어머니.

배고프면 차표 한 장
밤은 짧지만
소화물이 돼서
한 움큼 욕망의 헛배로 불러
강냉이처럼 풍선이나 띄울까.
부어도 부어도 차지 않는 고무 항아리
빈 깡통에
허허, 인심이나 쓸까.

「강냉이 사설(辭說)」은 1963년 월간 『사상계』에 발표한 작품이다. 밀가루, 강냉이와 같은 미국의 원조물자에 의존하며 허기진 보릿고개를 넘어야 했던 1950~60년대 한국사회의 현실을 풍자한 것이다. 한국정부는 1955년(단기4288년) 5월31일 미국의 쌀, 강냉이 등 잉여농산물을 구매하여 일반인들에게 공급하였다. 미국 측에서는 농산물 재고 해소에 도움이 되고 양식이 부족한 한국의 입장에서는 이를 극복하기 위한 차선의 방책이 된 셈이었다.

김종원 시인은 민족 해방과 분단을 겪고 열다섯 살이 될 때까지도 노랗게 익어가는 옥수수밭에서 하모니카를 부는 서정적 환상을 버리지 못했다고 한다. 그런데 그 옥수수가 배고픔을 덜어주는 절실한 삶의 수단이 되었다. 사람들은 허기진 배를 채우기 위해 수확이 끝난 밭을 찾아가 이삭을 주웠다. 파죽지세로 밀려오는 서기(西紀)의 힘에 '단기(檀紀)'가 밀려나는 세태의 변화를 느끼던 시절의 단상이다.

작업복

성권영

소매 길이를 끊고
다리 기장을 박으면
품이야
들어와 맞게 마련이다.

날이 날마다
해를 져 나르고
밤이면 별빛을 지고 돌아오다 보면
사지(四肢)보다 쉬 늘어져 버리는
내 작업복.

불끈거리는 성깔처럼
어쩌다 서글프게 일어서던
콧대마저 죽고

이젠 허옇게 등살이 벗겨져 오는 나날

차마 아직은 너를 놓아줄 수 없어

이 새벽 서리를 밟는다.

 시작노트

　성권영(成權永) 시인의 작품 경향은 심오한 동양사상을 바탕으로
생동감 흐르는 상징성으로 교직(交織)하는 서정시가 주조를 이루고
있다. 이 시 「작업복」에서는 이상과 현실의 간격이 여실히 나타나
고 있다.

　무슨 일인지는 몰라도 작업복 아닌 옷을 작업복으로 급조해서
힘겨운 작업을 하는 것으로 되어있다. 1937년 경남 창녕에서 태어
난 성권영 시인은 국제펜클럽 한국본부 사무국장, 한국문학가협
회 사무국장, 한국현대시인협회 상임이사를 역임했는데, 이런 문
학단체는 중책을 맡아도 봉사직이라서 생활이 윤택할 수 없다.

　시가 좋아서, 시를 사랑함으로 여러 문학단체에서 사무국장과 상
임이사로 있다가 한국국제문화협회 상임이사로 자리를 옮겨 이제는
힘 펴고 살겠다 싶었는데, 애석하게도 1990년 타계하고 말았다.

가을

성권영

갈수록
산은 깊고
노을빛 하늘은 탄다.

여운
잔잔한
바람은 떠나가고,

황폐한 들녘처럼
드러누운
이 마흔 해

무거운
발걸음을 끌고

어디에

서 있는가 나는.

 시작노트

　성권영 시인이 이 시를 써서 40대 초반에 발표했다면, 50대 초에 타계했으니 초가을과 만추(晩秋), 너무도 이른 인생의 '가을'이라는 조락(凋落)을 예언하지 않았나 하는 느낌이 든다.

　어디선가 불쑥 "영남의 설창수 시인의 제자와 호남의 신석정 시인의 제자가 친해 봅시다"고 하던 그의 목소리가 들릴 것만 같다.

모래톱에서

성종화

내내 바닷물에 씻기고
햇볕에 건조(乾燥)되어도
끝내 투명해지지 못하는
내 영혼의 낱알들이여.

파도에 밀리고
또 밀리어도
허물어지지 못하는
내 작은 모래 무덤이여.

아, 내 앞의 바다여.
해조음(海潮音)을 기다리는
먼바다의 울부짖음이여.

　　김봉군 교수는 이 시에 대해서 "현실의 자아와 이상의 자아가 길항(拮抗)을 빚는 영혼의 갈구가 절규처럼 치열하다. 그럼에도 이 시의 시상이 맑은 것은 결코 조악(粗惡)해질 수 없는 성종화 시인의 순하디순한 시적 천품(天稟) 때문인 것으로 보인다. 그는 일관되게 우리 시원(始原)의 고향, 자연 낙원의 언어와 아름다운 시상(詩想)으로 시를 쓴다. 그러기에 그의 고뇌와 상흔(傷痕)의 세월마저 그리운 해조음으로 읽힌다"고 평했다.

그런 시를 쓸 수 있을까

성종화

정갈한 낱말들만을

맑은 시냇물에 헹구고

밤이슬을 맞혀서

봄 산속 뻐꾹새 소리처럼 청아한

그런 시를 쓸 수 있을까.

가을밤에 피는 구절초 꽃처럼

해맑으면서도

그 안에 옥피리 소리가 나는

그런 시를 쓸 수는 있을까.

가슴이 상하여 아무리 아파도

그 아픔을 묻어두고

은은한 난의 향기가 배어나는

그런 시를 쓸 수 있을까.

아,

그런 시를 내가 쓰고 싶다.

그런 시를 내가 쓰고 싶다.

 시작노트

　김봉군 문학평론가는 "평범한 시는 설명을 하고, 좋은 시는 침묵하며, 위대한 시는 영감을 준다는 시의 에피그램이 있다. 성종화 시인은 좋은 시를 쓰려 한다. 시는 말이다. 시의 말은 말 중의 말, 말의 정수(精粹)다. 그가 아침 우물에서 새 물을 긷듯이 정화된 시의 언어를 매일 아침 길어 올린다. 정갈한 말들을 시냇물에서 헹구고 밤이슬을 맞힌다. 마침내 그의 시는 청아한 뻐꾹새 소리, 해맑은 구절초 꽃, 그 속의 옥피리 소리가 나고 은은한 난의 향기를 풍길 때 최고의 품격을 갖춘다."고 평했다.

겨울 진달래

정귀영

눈밭 위 진달래 꽃잎
색동무늬 겨울 하늘
공간의 입방체(立方體)가
겨울 진달래로 핀다.

한냉기류(寒冷氣流)의 진달래꽃밭
썰매를 타는 전설의 새
깃털에서 떨어지는 눈송이
진달래 눈송이
분홍빛 공간에 순환 운동에
시간의 궤적(軌跡)이 줄을 긋는다.
유성(流星)의 줄을 긋는다.

분홍빛 무음(無音)의 운동에

달걀이 터지고

허공엔 분홍색 치마가 펄럭인다

부재(不在)의 분홍색 치마가 펄럭인다

🖎 시작노트

　정귀영(鄭貴永) 시인은 문학평론가로도 유명하다. 1917년 전북 부안에서 태어난 정귀영 시인은 연희전문 문과 졸업 후 안양여중고 교감을 역임했다. 평론 「창조하는 계산」으로 등단한 후 『시와시론』을 주재하면서 본격적인 작품 활동을 했다. 첫 시집 『북서풍지대 기상도』를 상재한 후 시 비평에 전념, 시론 『언어의 의미와 이미지』, 『사물의 포름과 언어의 포름』 『이상문학의 초의식 심리학』등을 발표하여 주목을 끌었다.

　그의 시 경향은 물질의 변화과정에 직접 개입하지 않고 오로지 정신적, 내적인 변화 과정으로, 쉬르리얼리즘의 방법으로 현대시의 형태구조를 특히 초현실주의의 정신분석학적인 면에서 추구하였다. 그는 시집 외에 시론집 『포에지69』 『초현실주의 문학론』 『초현실주의 시비학(詩秘學)』등을 남겼다.

정情

김남석

그리움은

산딸기 냄새를 피우며 온다.

그리움은

가버린 계절(季節) 위에 수를 놓는다.

그리움은

기러기 달밤을 잉태(孕胎)하며 온다.

아,

그리움은

당신과

나의

눈물로 만발(滿發)한 민들레 양지(陽地).

김남석(金南石) 시인은 문학평론도 많이 썼다. 시집 외에도 대학교 재『한국시인론』,『현대시원론』,『현대시작법』,『현대시론』,『문학 개론』등을 저술했다. 함경남도 북청 출생인 김남석 시인은 서울에서 성장했으며 일본 중앙대 경제학부 및 와세다대학원 문학연구과 졸업, 동경유학생 동인지『맥』(1934)에 시(잃어버린 고향)를 발표한 후『시와시론』(1950)에 시(여명의 노래)를 발표하여 등단. 한양대, 동덕여대 교수, 한국민족문학연구소장, 한국영화학회 상임이사를 역임했다.

여기에 게재하는「情」은 응축이 특이하다. 요즈음 시들은 대부분 설명되어 시의 본령에서 벗어나는 경향이 있는데, 이 시는 지극히 응축되어 있어서 참고할만하다. 현대시가 아무리 실험과 변모를 거듭한다 할지라도 시의 본질인 응축의 묘미를 외면해서는 안 될 것이다.

1999년에 세계계관시인 공로대상을 수상한 김남석 시인은 민족의 역사의식과 전통의 수호를 바탕으로 현대인의 소외와 고독의 철학적 의미를 탐구하는 문화사적 이미지를 시로 표현하였다.

시인 연대표年代表

김창직

44킬로의 체중에
신장 160

알맞은 몸
알맞은 키다.

무종 불합격당한 후부터
상잔(相殘)의 대열에서 후송되었다.

콩나물에 물을 끼얹는 소망(素望)으로
늘 손바닥을 펴 낙서만 하다가
아내 성화에 목욕탕을 찾아 무겔 재확인했다.

40킬로에

160

이젠 가장(家長)으로도 실격자다.

도둑맞은 이웃들과

어깰 겨뤄 서봐도 역시 매한가지.

불행한 연대(年代)의 정확한 통계학이다.

 시작노트

    1930년 경북 영주에서 태어난 김창직(金昌稷) 시인은 경북 사대를 수학하고 검정시험에 합격. 순수시동인지 『시와시론』(1958)을 출간하면서 문단 활동을 시작했다. 안양고등기술학교 교장, 월간 『문예사조(文藝思潮)』발행인 및 한국자유시인협회 회장, 경기대 초빙교수를 역임했다. 한국문학상, 한민족문학상 등을 수상했다. 이 시는 6·25 전쟁(신체검사)과 관련이 있는 작품이다. 그가 초기에는 국토분단의 민족 현실의 극복 의지, 그리고 미래상을 그렸으나 점차 내면적인 영혼의 비상을 꿈꾸는 환상의 세계를 추구하기도 했다.

남산 성벽

황동기

산발한 억새 풀들
깨어진 기왓장 틈에서
흘러간 세월에 숨죽여 운다.

찬바람 몰아치는 고도(古都)
무너진 성터 곱사등 드러낸 채
낙엽들도 바스락대며 운다.

부귀영화는 쓸려간 지 오래인데
아직도 잠들지 못한
한 서린 영혼의 슬픈 노래가
갈대밭을 휘돌아
성벽을 맴돌고…

산마루에 쉬어 가는 구름도

노을을 마시고 벌겋게 운다.

 시작노트

　여기에서는 '산발한 억새'라든지, '깨어진 기왓장' '무너진 성터' 등의 역사적 유물을 통하여 감춰진 내면세계, 즉 "부귀영화는 쓸려 간 지 오래인데 - 아직도 잠들지 못한 - 한 서린 영혼의 슬픈 노래"를 넌지시 내보이는 형식으로 구체적 형상화를 시도하고 있다.

　1932년 전북 김제에서 출생한 황동기 시인은 전북대(화학공학)를 졸업한 후 한양대 대학원을 졸업(석사) 후 한양공대 강사. 한국 제지공업 분야 제1호 기술사로서 홍원제지공장 초대공장장, 한국 제지공업 기술인협회 고문, 삼양무역상사 대표이사, 중국 요녕성 본제시 조선족 중고등학교 및 와이터산 초등학교 명예교장.

　김규동 시인도 「남산 성벽」에 대해 "리듬이 비교적 조용하고 스산한 느낌을 준다. 이만큼 채우려면 무척 애를 썼을 것이다. 운율 시는 격식과 형태로 만들어지기 때문"이라고 평했거니와 여기에서는 "산발한 억새 풀"이라든지, "깨어진 기왓장", "무너진 성터" 등의 역사적 유물을 통하여 감춰진 내면세계, 즉 "부귀영화는 쓸려 간 지 오래인데 / 아직도 잠들지 못한 / 한 서린 영혼의 슬픈 노래"를 넌지시 내보이는 형식으로 구체적 형상화를 시도했다.

어느 날 문득

황동기

어느 날 문득
해변의 산기슭에
홀로 늠름히 솟아 있는
바위가 되고 싶었다.

포효하는 바다에
폭풍우가 밤새 밀려와도
거센 파도와 맞서
침묵하는 바위가 되고 싶었다.

별빛 스러지는 아침
바다는 잔잔하고
갈매기 평화로운 날갯짓
어제나 미소 짓는
바위로 영존하고 싶었다.

김기동 시인은 이 「어느 날 문득」에 대해서도 "전통 시의 기법과 음악성을 고조시킨 서정시의 면모를 보였다."고 하면서 "인생의 교훈, 경험, 염원 등 희비애락의 물레를 끝없이 틀어 올리는 곳에 인생과 시의 본령은 있기 마련이다"라고 평한 바 있다.

'경험의 보석'이라는 말이 있다. 구약성서 잠언에도 "경험이 쌓일수록 말수가 적어지고 슬기를 깨칠수록 감정을 억제한다"는 말이 있다. 이 말은 시에도 적용된다. 황동기 시인은 박식하고 다양한 지식과 경험의 옥토에 시를 경작하여 알차게 수확했다.

겨울잠

송태호

산들이
겨울잠을 자는구나.

만추(晚秋)는
차의 방향(芳香)을 누리는 계절
그윽한 단풍이 설록차(雪綠茶)를 볶더니,

조락(凋落)의 계절
먼 길 떠나보내고
서로 베고 누워 겨울잠을 자는구나.

자고 나면 눈이 쌓이고
자고 나면 눈이 내리고
삼동(三冬)엔 눈의 나라 시민이 되어

산들은 서로를 베고 누워

아무 걱정도 없이

기나긴 겨울잠을 자는구나.

시의 세계에서나 맛볼 수 있는 지극히 편안한 잠이다. 끝없이 내
리고 쌓이는 눈과 끝없이 계속 이어지는 산의 겨울잠 이상의 고요
함과 편안함은 없으리라.

마른장마 물안개

송태호

자식들 입에
밥 들어가는 재미로 살던 아버지는
고양이가 죽은 줄 알고 논고랑에 버렸다.

먼 산 비 묻어올 때
도롱이 쓰고 논 둘러보고 오시다가
눈에 불을 켠 고양이를 보시고는
"야가 살았는가?"
고양이를 안고 살피다가
"야옹!" 하고 할퀸 발톱에 독이 퍼졌다.

고양이를 자식처럼
애지중지하던 아버지가
시름시름 앓으시다가

자식 입에 밥 들어가는 재미 못 보고

물안개 짙은 날

마른장마에 영결종천(永訣終天)하셨다.

 시작노트

"자식들 입에 밥 들어가는 재미로 살던 아버지"는 부성애(父性愛)를 단적으로 표현하는 말이다. 이 말 이상 적절한 말을 찾기 어려울 것이다. 고양이는 개와 달리 주인에게도 해코지하는 등 배은망덕하는 경우가 있는데, 이 시는 그것을 활용하고 있다.

초록의 번영

이병훈

앞마당 나무가 제 한길 자라
가지를 뻗으니
담장을 넘어 앞뒷집 다 같이
유리문 안에서
초록의 번영을 누린다.

바람이 찾아들어
같이 놀더니
얼씨구 어깨를 들먹거리며
제멋에 겹도록 놀다 가더니
마당은 더 말할 것도 없고
온 집안 가득히 초록 번영을 누린다.

현대인의 삶에서 보기 드문 인정미학(人情美學)이다. 이웃사촌이라는 말도 있거니와 요즘은 층간소음 등으로 찾아보기 힘든 향토 정서를 그렸다. 달항아리처럼 풍신한 마음이 정겹다.

j 관조觀照와 사색思索의 시詩

삼상(三上)의 시란 우상(牛上)의 시와 침상(枕上)의 시, 그리고 측상(廁上)의 시를 말한다. 우상의 시와 침상의 시는 시다운 시가 가능하지만, 측상의 시는 애초부터 시다운 시라고 할 수 없다. 배설의 시는 시다운 시라고 할 수 없기 때문이다. 우상(牛上)의 시가 관조(觀照)의 시라면 침상(枕上)의 시는 사색(思索)의 시다. 그런데 측상(廁上)의 시는 배설의 시다. 언어의 찌꺼기 같은 배설의 언어를 누가 좋아하겠는가,

재 넘어 성권농 집에 술 익단 말 어제 듣고
누운 소 발로 박차 언치 놓아 지즐타고
아이야 네 권농 계시냐 정좌수 왔다 하여라

송강(松江) 정철(鄭澈)의 시조다. 이 시는 성씨 성의 농사를 권장하는 권농 벼슬하는 성씨 집에서 술이 익었으니 와서 자시라는 전갈을 받고 누운 소를 일으켜서 타고 가 왔음을 알리는 전갈로 되어있다.

옛날은 시간이 돈이라는 속도전 시대가 아니므로 이 시에서는 느림의 미학을 맛보게 된다. 누워있는 소를 일으켜 세워서 소 등에 깔개를 얹고 앉아 유유자적하게 산천초목도 보면

서 술을 마시러 가는 풍모가 바로 우상(牛上)의 시요 관조(觀照)의 시라 하겠다.

조선 중기의 시인이고, 문신이며, 정치인이요 학자인 송강은 당대 시조문학 가사문학의 대가로서 시조의 고산 윤선도(尹善道)와 함께 한국 시가 사상 쌍벽으로 일컬어진 그가 너무 큰 풍파에 부침(浮沈)이 심했던 것은 강직한 성격 탓이라 하겠다.

정여립의 난과 기축옥사 당시 국문을 주관하던 형관으로 사건 추국을 담당하였다. 기축옥사 수사 지휘의 공로로 추중분의협책평난공신(推忠奮義俠策平難功臣) 2등 관에 책록되었다. 훗날 심문과정에서 동인에 대한 그의 처결이 지나치게 가혹하여 '동인백정'이라는 별명이 붙을 정도로 원한을 많이 샀다. 또한 서인 정권 재장악을 위해 '정여립의 모반사건'을 조작했다는 의혹을 받았다.

버들가지처럼 휘어질 줄 모르고 강철처럼 부러지는 송강의 강직한 성격의 소유자와 대비되는 이는 황희 정승이라 하겠다. 계집종들이 서로 싸우자 황희 정승이 내린 명판결은 지금까지 알려질 정도로 유명하다.

황희 정승에게 집안의 하인 부부 중 아내가 찾아와서 물었다. "아버님 제삿날인데 저희 개가 새끼를 낳았습니다. 아무래도 제사를 드리지 말아야 하지 않겠습니까?" 이번에는 남편 하인이 찾아와 물었다. "아버님 제삿날에 저희 개가 새끼

를 낳았지만 그래도 제사는 지내야지요?" 황희 정승이 말하기
를 "그렇지, 제사는 지내야지." 그러자 곁에 있던 정승의 부인이
"대감께서는 어찌 둘 다 옳다고 하십니까?" 하고 핀잔을 주었다.
황희 정승은 부인에게도 말했다. "당신 말도 옳소."

　강철같은 사람이나 버드나무 가지 같은 사람이나 그 강하
고 유함은 필요에 따라서 쓸모가 있다. 정철의 강한 성격과 대
조되는 황희 정승의 시조 한 수를 살펴보고자 한다.

　　대쵸볼 붉은 골에 밤은 어이 뚯드르며
　　벼 벤 그루에 게는 어이 나리는고
　　술 익자 체장수 돌아가니 아니 먹고 어이리

　대추는 익어서 살이 통통하게 쪄있고, 알밤은 벌어져서 뚝
뚝 떨어지며, 벼를 밴 그루터기에서는 게가 기어 나오는데, 술
이 익었는데 마침 체장수가 체를 사라고 외치고 지나가니 그
체를 사서 술을 걸러 마시지 않겠느냐는 발상이다.

　이 시는 낭만성이 다분한 작품이다. 사실성에 치중하면 정
승 집안에 체가 없을 리 없다. 그래서 사실적으로 체가 있어서
살 필요가 없다면 이렇게 운치와 멋스러운 시의 생산은 어렵
게 된다. 그래서 시는 실용어에 고착되면 어려워지므로 초현
실적 성격을 띠기도 한다.

　이제부터는 관조(觀照)의 시와 사색(思索)의 시를 살펴보고자

한다.

진달래 꽃비 오는 서역(西域) 삼만리
흰 옷깃 여며 여며 가옵신 님의
다시 오진 못하는 파촉(巴蜀) 삼만리

— 서정주의 「귀촉도(歸蜀途)」 중 일부

끼니를 놓으니 할 일이 없어
쉰네도 나와 참 고운 놀을 본다.
(생략)하늘의 선물처럼
소리 없는 백성 위에 저녁놀이 떴다.

— 유치환의 「저녁놀」 중 일부

나는 당신의 살아있는 연필
어둠 속에서 빛나는 말로
당신이 원하시는 글을 쓰겠습니다.
정결한 몸짓으로 일어나는 향내처럼
당신을 위하여 소멸하겠습니다.

— 이해인의 「살아있는 날은」 중 일부

귀촉도歸蜀途

서정주

눈물 아롱아롱
피리 불고 가신 님의 밟으신 길은
진달래 꽃비 오는 서역(西域)* 삼만리
흰 옷깃 여며 여며 가옵신 님의
다시 오진 못하는 파촉(巴蜀)* 삼만리

신이나 삼아 줄 걸, 슬픈 사연의
올올이 아로새긴 육날 메투리
은장도 푸른 날로 이냥* 베어서
부질없이 이 머리털 엮어 드릴 걸

----

* **서역** : 중국 서쪽에 있던 여러 나라.
* **파촉** : 중국 사천(四川)의 이칭(異稱).
* **이냥** : 그냥.

호롱에 불빛 지친 밤하늘
굽이굽이 은핫(銀河)물 목이 젖은 새
차마 아니 솟는 가락 눈이 감겨서
제 피에 취한 새가 귀촉도 운다
그대 하늘 끝 호올로 가신 님아.

낙화落花

조지훈

꽃이 지기로소니
바람을 탓하랴.

주렴 밖에 성긴* 별이
하나 둘 스러지고

귀촉도 울음 뒤에
머언 산이 다가서다.

촛불을 꺼야 하리
꽃이 지는데

꽃 지는 그림자

----

* 성긴 : 드문.

뜰에 어리어

하얀 미닫이가
우련* 붉어라
묻혀서 사는 이의
고운 마음을

아는 이 있을까
저허하노니*

꽃 지는 아침은
울고 싶어라.

고사古寺

조지훈

목어(木魚)를 두드리다
졸음에 겨워

고운 상좌 아이도
잠이 들었다.

부처님은 말이 없이
웃으시는데

서역 만리(西域萬里) 길

눈부신 노을 아래
모란이 진다.

대바람 소리

신석정

대바람 소리
들리더니
소소(蕭蕭)한* 대바람 소리
창을 흔들더니

소설 지난 하늘을
눈 머금은 구름이 가고 오는지
미닫이에 가끔
그늘이 진다.

국화 향기 흔들리는
좁은 서실(書室)을
무료히* 거닐다
앉았다, 누웠다

----
* **소소한**: 쓸쓸한(바람 소리가).
* **무료히**: 심심하게.

잠들다 깨어보면
그저 그런 날들
눈에 들어오는
병풍의 '낙지론(樂志論)'을
읽어도 보고……

그렇다!
아무리 쪼들리고
웅숭그릴지언정
"어찌 제왕의 문에 듦을 부러워하랴.

대바람 타고
들려오는
머언 거문고 소리……

은수저

김광균

산이 저문다
노을이 잠긴다
저녁 밥상에 아기가 없다.
아기 앉던 방석에 한 쌍의 은수저
은수저 끝에 눈물이 고인다.

한밤중에 바람이 분다.
바람 속에서 아기가 웃는다
아기는 방속을 들여다본다
들창을 열었다 다시 닫는다

먼 들길을 아기가 간다
맨발 벗은 아기가 울면서 간다
불러도 대답이 없다
그림자마저 아른거린다

행복幸福

유치환

─ 사랑하는 것은
사랑을 받느니보다 행복하나니라
오늘도 나는
에메랄드빛 하늘이 환히 내다뵈는
우체국 창문 앞에 와서 너에게 편지를 쓴다.

행길을 향한 문으로 숱한 사람들이
제각기 한가지씩 생각에 족한 얼굴로 와선
총총히 우표를 사고 전보지를 받고
먼 고향으로 또는 그리운 사람께로
슬프고 즐겁고 다정한 사연들을 보내나니

세상의 고달픈 바람결에 시달리고 나부끼어
더욱더 의지 삼고 피어 헝클어진 인정의 꽃밭에서

너와 나의 애틋한 연분도

한 망울 연연한 진홍빛 양귀비꽃인지도 모른다.

- 사랑하는 것은

사랑을 받느니보다 행복하나니라

오늘도 나는 너에게 편지를 쓰나니

- 그리운 이여 그러면 안녕!

설령 이것이 이 세상 마지막 인사가 될지라도

사랑하였으므로 나는 진정 행복하였네라.

저녁놀

유치환

굶주리는 마을 위에 놀이 떴다
화안히 곱기만 한 저녁놀이 떴다.

가신 듯이 집집이 연기도 안 오르고
어린것들 늙은이는 먼저 풀어져 그대로 밤 자리에 들고,

끼니를 놓으니 할 일이 없어
쉰네도 나와 참 고운 놀을 본다.

원도 사또도 대감도 옛 같이 없잖아 있어
거들어져 있어—

하늘의 선물처럼
소리 없는 백성 위에 저녁놀이 떴다.

수로부인水路夫人의 얼굴

서정주

암소를 끌고 가던

수염이 흰 할아버지가

그 손의 고삐를 아주 그만 놓아버리게 할 만큼…

소 고삐 놓아두고

높은 낭떠러지를

다람쥐 새끼같이 뽀르르르 기어오르게 할 만큼…

기어 올라가서

진달래꽃 꺾어다가

노래 불러 노래 불러

갖다 바치게 할 만큼…

이별가離別歌

박목월

뭐락카노, 저편 강 기슭에서
니 뭐락카노, 바람에 불려서

이승 아니믄 저승으로 떠나는 뱃머리에서
나의 목소리도 바람에 날려서

뭐락카노 뭐락카노
썩어서 동아 밧줄은 삭아 내리는데

하직을 말자, 하직을 말자
인연은 갈밭을 건너는 바람

뭐락카노 뭐락카노 뭐락카노
니 흰 옷자라기만 펄럭거리고……

오냐, 오냐, 오냐
이승 아니믄 저승에서라도……

이승 아니믄 저승에서라도
인연은 갈밭을 건너는 바람

뭐락카노, 저편 강기슭에서
니 음성은 바람에 불려서

오냐, 오냐, 오냐
나의 목소리도 바람에 날려서

눈물

김현승

더러는
옥토(沃土)에 떨어지는 작은 생명이고저……

흠도 티도
금가지 않은
나의 전체는 오직 이뿐!

더욱 값진 것으로
드리라 하올 제,

나의 가장 나아종 지닌 것도 오직 이뿐.

아름다운 나무의 꽃이 시듦을 보시고
열매를 맺게 하신 당신은

나의 웃음을 만드신 후에
새로이 나의 눈물을 지어 주시다.

밤바다에서

박재삼

누님의 치맛살 곁에 앉아

누님의 슬픔을 나누지 못하는 심심한 때는

골목을 빠져나와 바닷가에 서자.

비로소 가슴 울렁이고 눈에 눈물 어리어

차라리 저 달빛 받아 반짝이는 밤바다의 진정할 수 없는

괴로운 꽃바늘을 닮아야 하리.

천하에 많은 할 말이, 천상의 많은 별들의 반짝임처럼

바다의 밤물결 되어 찬란해야 하리

아니 아파야 아파야 하리

이윽고 누님은 섬이 떠 있듯이 그렇게 잠들리

그때 나는 섬 가에 부딪치는 물결처럼 누님의 치맛살에 얼굴을
묻고

가늘고 먼 울음을 울음을, 울음 울리라.

하루만의 위안

조병화

잊어버려야만 한다.

진정 잊어버려야만 한다.

오고 가는 먼 길가에서

인사 없이 헤어진 지금은 누구던가

그 사람으로 잊어버려야만 한다.

온 생명은 모두 흘러가는 데 있고

흘러가는 한 줄기 속에

나도 또 하나 작은

비둘기 가슴을 비벼 대며 밀려가야만 한다.

눈을 감으면

나와 가까운 어느 자리에

싸리꽃이 마구 핀 잔디밭이 있어

잔디밭에 누워

마지막 하늘을 바라보는 내 그 날이 온다.

그 날이 있어 나는 살고
그 날을 위하여 바쳐온 마지막 내 소리를 생각한다.
그 날이 오면
잊어버려야만 한다.
진정 잊어버려야만 한다.

오고 가는 먼 길가에서
인사 없이 헤어진 시방은 누구던가
그 사람으로 잊어버려야만 한다.

성탄제 聖誕祭

김종길

어두운 방 안에
바알간 숯불이 피고

외로이 늙으신 할머니가
애처로이 잦아드는 어린 목숨을 지키고 계시었다.

이윽고 그 속을
아버지가 약(藥)을 가지고 돌아오시었다.

아, 아버지가 눈을 헤치고 따오신
그 붉은 산수유(山茱萸) 열매—

나는 한 마리 어린 짐승,
젊은 아버지의 서늘한 옷자락에

열(熱)로 상기된 볼을 말없이 부비는 것이었다.

이따금 뒷문을 눈이 치고 있었다.
그 날 밤이 어쩌면 성탄제(聖誕祭)의 밤이었을지도 모른다.

어느새 나도
그때의 아버지만큼 나이를 먹었다.

옛것이란 거의 찾아볼 길 없는
성탄제(聖誕祭) 가까운 도시에는
이제 반가운 그 옛날의 것이 내리는데,

서러운 서른 살 나의 이마에
불현듯 아버지의 서느런 옷자락을 느끼는 것은

눈 속에 따오신 산수유 붉은 알알이
아직도 내 혈액(血液) 속에 녹아 흐르는 까닭일까.

피아노

전봉건

피아노에 앉은
여자의 두 손에서는
끊임없이
열 마리씩
스무 마리씩
신선한 물고기가
튀는 빛의 꼬리를 물고
쏟아진다.

나는 바다로 가서
가장 신나게 시퍼런
파도의 칼날 하나를
집어 들었다.

자수刺繡

허영자

마음이 어지러운 날은
수를 놓는다.

금실 은실 청홍(青紅) 실
따라서 가면
가슴속 아우성은 절로 갈앉고

처음 보는 수풀
정갈한 자갈돌의
강변에 이른다.

남향 햇볕 속에
수를 놓고 앉으면
세사 번뇌(世事 煩惱)

무궁한 사랑의 슬픔을
참아내올 듯

머언
극락정토(極樂淨土) 가는 길도
보일 상 싶다.

살아있는 날은

이해인

마른 향내 나는
갈색 연필을 깎아
글을 쓰겠습니다.

사각사각 소리 나는
연하고 부드러운 연필 글씨를
몇 번이고 지우며
다시 쓰는 나의 하루

예리한 칼끝으로 봄을 깎이어도
단정하고 꼿꼿한 한 자루의 연필처럼
정직하게 살고 싶습니다.

나는 당신의 살아있는 연필

어둠 속에서 빛나는 말로
당신이 원하시는 글을 쓰겠습니다.

정결한 몸짓으로 일어나는 향내처럼
당신을 위하여
소멸하겠습니다.

엄마 걱정

기형도

열무 삼십 단을 이고
시장에 간 우리 엄마
안 오시네, 해는 시든 지 오래
나는 찬밥처럼 방에 담겨
아무리 천천히 숙제를 해도
엄마 안 오시네, 배추잎 같은 발소리 타박타박
안 들리네, 어둡고 무서워
금간 창틈으로 고요히 빗소리
빈방에 혼자 엎드려 훌쩍거리던

아주 먼 옛날
지금도 내 눈시울을 뜨겁게 하는
그 시절, 내 유년의 윗목.

빈집

기형도

사랑을 잃고 나는 쓰네

잘 있거라, 짧았던 밤들아
창밖을 떠돌던 겨울 안개들아
아무것도 모르던 촛불들아, 잘 있거라
공포를 기다리던 흰 종이들아
망설임을 대신하던 눈물들아
잘 있거라, 더 이상 내 것이 아닌 열망들아

장님처럼 나 이제 더듬거리며 문을 잠그며
가엾은 내 사랑 빈집에 갇혔네.

k 창조적 상상의 자연과 고향

　모든 예술작품은 상상력의 소산이다. 상상 중에서도 재생이나 연합적 상상을 지나서 창조적(생산적) 상상이 요구된다. 과거의 경험에 의한 기억에 남아있는 잔상(殘像)들을 회상하는 것으로 문예 작품이 되는 것은 아니다. 창조적(생산적) 상상을 통하여 재구성하지 않으면 안 된다. 생산적 상상이란 기억의 잔상을 상상의 힘으로 결합하거나 분해하거나 변화시켜서 얻어내는 것을 말한다. 이 문제는 앞으로 감상과 이해에 도움이 되는 시가 보일 때 수월하게 말하고자 한다.

봄이 슬픈 나무들

김인섭

사람들 몸에 좋아 불로장생한다고
귀에서 귀로 굴러다니는 것이면
하늘에 가득 공짜로 널린 구름도
걷어먹자 전전하는 사람들.

곰 발바닥이고 상어 지느러미고
낙동강 까마귀새끼 허벅지고
가리는 것이 없는고로
나무고 풀이고 가만히 두고만 보겠는가

봄이 오는 들머리 2월이 되면
태백나무 모새나무 계곡은
깽깽 마른 하늘에도 물보라 친다.

겨우내 얼어붙었던 여년묵은 나무들
눈망울도 트기 전에
생떼같은 맨몸 둘레에다 무쇠바늘 드리워
늑막염에 고름 짜듯
비닐 드레줄로 아스라이 쥐어 찔리는
가슴 아픈 눈물의 수액 고로쇠

해마다 그렇게 탈수로 신음하는 나무들
봄이 두려워 바람 한 점 없어도 허우적거린다

 시작노트

    김인섭 시인의 「봄이 슬픈 나무들」은 고로쇠를 지나치게 짜 먹
는 이기적인 인간들에 대하여 이모저모의 예증을 들어가면서 항변
하는 형식을 취하고 있다.

광대

- 사람

김년균

벼랑 위에 아슬아슬하게 섰다.
한 발은 얼음판을 딛고,
또 한 발은 칼날 위에 섰다.

서커스 구경 가면 별일을 다 본다.
어린이가 공중에서 줄타기하며 놀고
키 작은 아저씨가 누워서 물통을 굴리며
신나는 묘기로 요술을 부린다.

어떤 광대는
입으로 불을 먹고 토해내며
아무렇지도 않은 듯 시치미를 뗀다.

삶이란 서커스 하는 일

시간의 울타리에 갇힌 광대들이
온갖 묘기를 부리며 위태롭게 노는 일이다.

 시작노트

김년균(金年均) 시인의 이 시는 니체의 철학을 생각하게 하고, 뭉크의 '절규' 그림을 연상하게 한다. 뭉크가 니체의 책을 읽고 그림을 그린 것처럼, 이 시에서는 니체의 죽음의 시간을 연상하게 한다. 니체가 아픔을 견디어 낸 것처럼, 김년균 시인은 한국문인협회 이사장직을 마치면서부터 오늘날까지 아픔을 견디어 왔다. 서커스 광대는 청중을 웃으면서 울리는 것처럼, 이 시는 광대의 낙천적 몸짓으로 인생의 애상을 암시하고 있다.

향수

서정남

먼 마을, 개 짖는 소리가
창호지 문살을 울려도
꽃같이 피어나는 참기름 불에
다소곳한 어머니가 보인다.

함박눈이 목화처럼
펑펑 내리는 저녁나절
시집간 누나가 웃다 사라지고
장독대엔 함박눈이 소복이 쌓인다.

눈 감으면 고향,
눈을 떠도 고향,
창호지에 흘러넘치던
꿈속에도 가슴 시린 달빛!

　서정남(徐正南) 시인의 향토정서가 물씬 풍기는 작품이다. 농촌 풍경을 배경으로 참기름 불과 어머니와의 상사성(相似性)을 보인다. 해맑은 꽃같이 피어나는 참기름 불은 정숙한 어머니를 닮았기 때문이다. 누나와 어머니는 장독대와 친밀한 관련이 있다. 이 시의 결구는 아름다운 고향의 극치라 하겠다.

　서정남 시인은 아동문학가요 수필가다. 또한 목사요 법무사인 동시에 심리상담사 등 다양한 장르와 직업을 종횡무진으로 넘나들었다. 특히 시는 창조적 상상으로 초현실 세계로서의 자유를 추구하는데, 법무사 등의 일은 시와 상치함으로 이 모순을 어떻게 극복하여 조화를 이룰까 의아해할 수 있겠는데, 이는 아무래도 아동문학가로서의 천진성이 딱딱한 법을 유화시킨 것으로 볼 수 있겠다.

영광굴비의 영광

손해일

열 마리 한 두름에 몇 십만원씩 한다는
귀하신 몸이라
제사상의 상객인 너의 본명은 조기.
비린내 없이 담백하고 쫄깃한 살결이
봄철 입맛과 원기회복엔 으뜸이라 조기(助氣).
본관은 영광 법성포요, 연어공파 종손이니
자(字)는 석어(石魚)요, 석수어(石首魚)요,
아호는 굴비(屈非)니라.
뇌속에 돌이 두 개씩 들어서 그렇다나 어쨌다나.

한식 지나 곡우(穀雨) 무렵이면
칠산(七山) 앞바다에 나타났다가
철쭉꽃이 만발하면 알을 배고 싶어
짝을 부르는 참조기 떼의 연가.

소만(小滿)까지 사랑놀이 삼아 북상하면

해조 앞바다 연평도라.

그물로 잡아 한강 마포강까지 조깃배로 모신 뒤

구중궁궐 수라상에 독대하며 상감을 뵈었더라.

참조기, 보구치, 부세 중에도

노란 알이 통통히 밴 황조기가 으뜸이요

생선회, 매운탕, 죽, 구이, 장아찌로

먹는 법도 다양하지만

뭐니 뭐니 해도 조기의 영광은 굴비라.

▰▱ 시작노트

　　손해일 시인의 「영광굴비의 영광」에서는 역동적인 해학과 풍자
를 본다. 여기에서는 '굴비'라는 사물을 사실성이나 현실성보다는 코
믹한 이야기의 재미를 살리는 쪽으로 상징적 변화를 보이고 있다. '영
광 굴비의 영광'이라는 제목 자체가 그런 창작 의도를 포함하고 있다.
'굴비'는 소금에 절여서 통으로 말린 조기를 말한다. 제사상에 오른
조기에는 수긍이 간다. 그런데 "원기회복에 으뜸이라서 조기(助氣)라
거나 본관은 영광 법성포요, 연어공파 종손이니 자(字)는 석어(石魚)요,
석수어(石首魚)요, 아호는 굴비(屈非)니라."에서는 당연한 현실성이 없
다. 그런데도 독자는 받아들이며 즐긴다. 누구에게나 초현실적인 요
소가 소망의 나침반으로 자리하고 있기 때문이리라.

할머니

오봉옥

할머니는 쌍것이었다, 죽어도 쌍것이었다
논이 되어 밭이 되어 허리 구부리고
살았을 뿐
시집은 시집이어서 하자는 대로
살림은 살림이어서 하자는 대로
절대로 쌍것인갑다, 여자인갑다 했을 뿐
"그건 안 되겠어라우" 한마디 못하셨다
하긴 전쟁터에 지아비 보낼 때도
곧 오마 하는 소리 들었을 뿐
감히 나가볼 생각 못했다
하긴 혼자되어 깔 비고 손 비고
똥장군까지 질 때에도
감히 재가는 꿈도 꾸지 못했다
할머니는 여자였다 죽어도 여자였다

하나 있는 손녀 시집가는 길 위에서

오늘도 "남편 말에 복종 잘하고…" 하신다

두 번 세 번 눈물 찍으며 당부하신다

🖊️ 시작노트

오봉옥 시인의 이 「할머니」는 조선 여인의 가부장적 관습에 젖어있음을 알 수 있다. 이 시 「할머니」에서는 남녀의 차별에 대해서 치열하게 비판하면서도 순종의 미덕을 높이 사는 것으로 보인다. 오봉옥 시인은 온몸을 던져서 혼신으로 시를 쓰는 시인이라 하겠다. 이 시에서는 할머니의 언행을 통하여 남편에게 순종하는 공경의 미덕을 높이 사고 있다.

키 큰 남자를 보면

문정희

키 큰 남자를 보면
가만히 팔 걸고 싶다
어린 날 오빠 팔에 매달리듯
그렇게 매달리고 싶다
나팔꽃이 되어도 좋을까
아니, 바람에 나부끼는
은사시나무에 올라가서
그의 눈썹을 만져 보고 싶다
아름다운 벌레처럼 꿈틀거리는
그 눈썹에
한 개의 잎으로 매달려
푸른 하늘을 조금씩 갉아먹고 싶다
누에처럼 긴 잠 들고 싶다
키 큰 남자를 보면

아름다운 빛깔의 정감에다가 놀라운 상상력으로 이뤄진 맛과 멋이 조화되어 매력을 풍기는 작품이다. 은사시나무에 올라가서 키 큰 남자의 눈썹을 만져본다거나 그의 눈썹에 한 개의 잎으로 매달려 푸른 하늘을 조금씩 갉아먹고 싶고, 누에처럼 긴 잠 들고 싶다는 착상은 낭만의 극치 바로 그것이다. 이러한 시는 쭈뼛거리지 않고 속 시원히 쭉쭉 뻗는 정감에다가 풍부하면서도 기발한 상상력 때문에 가능하다. 기발한 상상력의 발상이 아니고는 이러한 시가 탄생할 수 없다.

잔盞

임미옥

어디에 놓이건
흔들림 없이 단아한 모습,
마음을 언제나 열어 두기로 했다.

가끔씩 찾아오는 이
뜨거운 가슴 향 맑은 숨결
말없이 받아 주거나
시린 손 데워 주면서
때로는
옆 잔의 침묵에 공명(共鳴)하면서,

빈 마음자리
선풍(仙風)에 젖어 살기로 했다.
먼 산 가을

저녁놀……
진달래 꽃빛으로 스러질 때
까닭 모를 눈물 차오를지라도
욕된 삶은
죽어도 아니 살기로 했다.

 시작노트

사물 인식이 뛰어나다. '잔(盞)'이라는 사물에서 인생을 충분히
논하는 점으로 봐서 그렇다. 그 잔이 지니는 속성에서 단아한 모습
이라든지 뜨거운 가슴, 받아주거나 덥혀주는 관계 양상을 적절히
취사선택하여 직조하고 있다. 인생에서도 잔처럼 어디에 놓이건
흔들림 없이 마음을 열고 살되 선풍으로 살겠다는 의지와 강한 집
념이 투철하다. '잔'이 지니는 일상적 의미가 선풍과는 거리가 있는
데에도 역설을 정당화로 뒤집어 시로 형상화한 게 흥미롭다.

내 고향은 저승

이설주

누님요
아부님 어무님 모시고
경수 동생하고 학조캉 모도
무궁한 일월을 한데 모여 살그로
고향 저승으로 구만 나도 갈랍니더
살다가 와 그래 가고 싶노 몰라
할마이는 지가 먼저 갔어예 빙싱이메츠로.

이승에서 찾아 헤맨 지난날
속절없는 구름의 마음은 벗고
솔향기 은은한 깊은 숲속으로
이분에야 말로 꼭 와서 우리
아버지 엄마 그늘 따시한 절에서
호롱불이라도 하나 서드리고
잊었뿌린 효도 한 분 할라칸다 누부야!

　이 시를 만일 표준어로 썼다면 설명적인 감정 발산에 그쳤을 것이다. 이 시가 그래도 어느 정도 관심을 갖게 하는 것은 토속적 방언에 있다. 직정적이고 직설적인 표현이 방언에 의하여 약간씩 변형되어 나타난 그 향토적 표현에 의해서 시로서의 체면을 살렸다.

버들강아지

김인섭

꽃도 아닌 것이
잎사귀도 뭐도 아닌 것이
눈보라 겨울 길을
빈 호랑버들 가지로 나면서
밤이고 낮이고
풀쐐기처럼 하고 앉아
올올히 까끄라기 톱니 같은
속눈썹만 키우다가
봄이 오면
뒷동산 새소리
소소리패랑 함께
온 산천 들판으로
하얗게 하얗게 바둥거릴
하늘 동네 바람둥이.

　　김인섭 시인의 이 시(버들강아지)가 재미있게 읽히는 까닭은 언어 선택의 적절성에 있다. 가령 "풀쐐기처럼 하고 앉아"라든지, "속눈썹만 키우다가" "온 산천 들판으로 / 하얗게 하얗게 바둥거릴 / 하늘 동네 바람둥이"가 그것이다. '풀쐐기'는 '버들강아지'를 닮은 사물이고, '속눈썹' 얘기는 봄 맞을 준비를 은근히 은폐하면서 조금씩 내비치기 때문이다. 마지막 구절은 자기 세상 만나듯이 자유 천지를 구가하고 있어서 봄의 흥기를 보인다.

내가 쓰러지거든

장호강

끝내 바라던 통일을 이룩하지 못한 채
이름도 없는 싸움터 영마루에
내가 쓰러지거든

전우로 하여금 들꽃을 꺾게 하지도 말라
피 쏟는 가슴에 태극기 덮게 하지도 말라
아이들에게 유전될 재산목록은 마련 안 해도 좋고
무덤을 파고 묘표를 세워야 할 필요도 없느니라.

여우며 까마귀 떼 뜯고 남은 두개골에
"한평생 원하던 天池 물 한 모금 못 먹고 가버린 사나이라고
멋들어진 글체로 아로새겨보았던들
누구 하나 흥겨워질 리도 없느니라.

북으로 향하는 태풍이 풍기는 계절

중동부 산맥을 따라 마구 뒹굴어 가노라면
봉우리마다 부딪치며 깨어지고 쪼개지노라면
정녕 그 어느 날이고
바스러진 해골 가루 가루 싸락눈처럼 휘날리어
천고에 깊은 天池 속으로 영원히 잠길 것이리라.

📖 시작노트

　장호강(張虎崗, 1916~2009) 장군 시인의 시 「내가 쓰러지거든」
이다. 특별한 표현 기교 없이 자연 발생적으로 서술한 이 시를 선택
한 까닭은 주제와 관련한 시정신에 있다. 농부는 씨앗을 뿌리기 전
에 종자를 고른다. 독에 물을 붓고 씨앗 감을 넣는다. 벌레 먹었거
나, 썩었거나 하여 부실한 쭉정이는 걷어내어 버리고, 물에 잠긴
씨앗을 말려서 뿌린다.

　문예 창작에서는 주제를 종자론(種子論)으로 대체하기도 한다. 따
라서 '시정신론(詩精神論)을 시종자론(詩種子論)으로 대체해도 무방하
겠다. 이 시에는 표현력이 없는 것도 아니다. 보통 소탐대실하기가
쉬운데, 장호강 시인은 그와 반대로 무념무상의 경지에서 무사무
편한다. 그는 죽을 때 꽃도, 유산도, 묘표도 모두 사양하는 관심 밖
의 것이고, 결국 "바스러진 해골 가루 싸락눈처럼 휘날리며 천고에
깊은 天池 속으로 영원히 잠길 것이라"고 비장미를 드러내고 있다.

　1916년 평안북도 철산에서 태어난 장호강 시인은 중국에서 성
장했다. 국방대학 및 국민대학 졸업, 『자유문학』에 시로 등단. 해
방 전에는 중국군 및 광복군 장교로 항일전(抗日戰)에 참가. 해방 후
군에 입대하여 대대장으로 6·25 전쟁에 참전. 군단참모장, 특전감,

사단장을 거쳐 육군 준장으로 예편했다. 한중일보 주필, 한중문화
협회 이사, 독립운동사 편찬위원, 한국참전시인협회 회장, 독립군
가보존회 회장, 광복회 독립정신 홍보위원 및 한국참전시인협회
명예회장 역임.

　　그는『한국독립운동사』(1978) 등 많은 저술을 했는데, 독립 전
선과 6·25 전쟁에 참전했던 경험에서 주로 전쟁과 사적상황(史的狀
況)을 소재로 사실적이고 서사적인 기법으로 호국의지(護國意志)와
민족사관 정립의 안목에서 미래지향적 가치를 조명했다.

목계장터

신경림

하늘은 날더러 구름이 되라 하고
땅은 날더러 바람이 되라 하네.
청룡 흑룡 흩어져 비 갠 나루
잡초나 일깨우는 찬바람이 되라네.
뱃길이라 서울 사흘 목계 나루에
아흐레 나흘 찾아 박가분* 파는
가을볕도 서러운 방물장수 되라네.
산은 날더러 들꽃이 되라 하고
강은 날더러 잔돌이 되라 하네.
산 서리 맵차거든 풀 속에 얼굴 묻고
물여울 모질거든 바위 뒤에 붙으라네.
민물새우 끓어 넘는 토방 툇마루
석삼년에 한 이레쯤 천치로 변해
짐 부리고 앉아있는 떠돌이가 되라네.
하늘은 날더러 바람이 되라 하고
산은 날더러 잔돌이 되라 하네.

　　신경림(申庚林, 1936. 4. 6~2024. 5. 23) 시인의 시 「목계 장터」다. 이 시에는 구름과 바람, 산과 강, 나루, 잡초, 들꽃, 잔돌 등이 제재 역할을 충실히 하고 있는데, '나루'와 '잡초'가 상징하듯 떠돌이와 정착이라는 양면 사이의 애환 내지 한의 정서가 깔려있다.

　　시인은 구름이나 바람처럼 자유롭게 살고자 한다. 그런데 시에는 주로 "되라 하네" 식의 피동으로 나타나 있다. 여기에는 떠돌이와 정착이라는 두 심리가 대조를 보인다. 시인은 새처럼 자유롭게 날고 싶지만 생활이라는 둥우리를 떠날 수도 없다.

　　신경림 시인은 구름과 바람을 빙자해서 초탈하고 싶어 하다가도 생활인으로 돌아선다. 이 기발한 착상은 방물장수'가 지니는 떠돌이와 생활인을 겸하게 된다.

하지감자

황송문

멍든 빛깔의 하지감자는
엉골댁 욕쟁이 할머니.
쪼그라들면 쪼그라들수록
일본 순사 쏘아보는 눈빛이 산다.

일제에 징용 간 남편은 소식 없고
보쌈에 싸여가서 아들 하나 낳았다가
6·25 전장에 재가 되어 돌아온 후
걸찍한 욕만 살아서 푸른 독을 뿜는다.

멍든 하지감자는
껍질을 까기가 힘이 든다.
사내놈들 보쌈에 싸여가는 동안
은장도를 가슴에 품은 채 벼르고 벼르던
그 날선 빛깔이 눈물이 되고 욕설이 되어
독을 품은 씨눈에서 은장도가 번득인다.

　이 시(하지감자)는 특별한 제재에서 표현된 작품이다. 보랏빛이 감도는 하지감자는 독성이 있어서 혀가 싸아하니 독해도 파슬파슬하니 맛이 있어서 즐겨 먹는 음식이다. 이 시는 주제와 소재, 즉 제재(題材)를 함축하고 있다. 하지감자와 욕쟁이 할머니가 닮았다는 상사성(相似性)에서 시의 가능성을 발견하고 창조적 상상으로 여기에 적합한 시어 선택에 나서게 되었다.

한국의 현대문학

한국현대문학은 근대문학을 포함하여 대체로 갑오경장(1894)부터 오늘날까지로 보는 게 통설이다. 갑오경장 이후의 개화란 서구 문명을 수용하는 서구화를 의미하지만, 그것이 국적이나 민족을 무시하거나 초월하려는 근대 의식이 아니라, 주변 열강들의 역학 관계에서 민족의 자주독립을 고취하려는 의지를 근간으로 하고 있었다는 점은 주목할 만하다.

한국의 근대적 민족주의와 민족 문학은 이 개화기부터 본격적으로 싹트기 시작했다 해도 과언이 아니다. 한국의 현대문학은 민족의식과 근대적 자아의식을 바탕으로 민족의 독립, 생존, 번영에 저해하는 세력에 대한 저항과 예술 창조의 두 국면의 관계를 파악하는 데서 올바른 인식이 가능하겠다.

허무적 낭만주의와 시詩

한·일 합방과 3·1운동의 실패, 유럽에서 일본을 거쳐 밀려온 퇴폐적 낭만주의는 이 땅의 시인들에게 허무적 낭만주의에 빠져들게 했다. 낭만주의가 밖으로 뻗을 때는 저항적이지만, 좌절할 때는 내적 주관으로 들어가게 된다. 낭만주의적 이상이 강렬하고 현실과 마찰할 때는 감상적 허무적 경향을 띠게 된다. 그러한 경향은 1920

년대 전후에 볼 수 있다.

시인 개인은 물론, 민족 전체가 일제의 억압 시대에 크게 발생했다는 아이러니컬한 현상에 주목해야 한다. 최남선에서 1920년대로 넘어오는 과도기에 최소월이 있었고, '태서문예신보'(1918) 이전에 이미 자유시가 발생했다. '태서문예신보' 이전에는 김억, 황석우 등이 자유시를 발표했다.

김억에 의하여 프랑스 상징파를 중심으로 한 유럽의 시와 상징주의 이론이 소개되었고, 근대 최초의 문예 동인지『창조(1919)』에서는 주요한 등의 이상적 경향의 시를 볼 수 있다. 이어『장미촌(19210』, 그리고 김억, 남궁벽, 나혜석, 민태원, 오상순, 황석우, 염상섭 등을 동인으로 한『폐허(1920)』, 박종화, 홍사용, 노자영, 이상화, 박영희, 나도향 등이 동인이었던『백조(1922)』, 양주동, 이장희, 유엽 등을 동인으로 한『금성(19240』등이 발행되었다.

이들의 시는 허무적인 낭만주의를 주조로 하였다. 여기에는 김소월의 민요적 정한, 한용운의 구도적 자세를 추가할 수 있다.

민족주의와 계급주의

개화기에 싹튼 근대적 민족주의 문학은 1925년에 와서 이중의 시련을 겪으면서 그 성격을 드러냈다. 첫째는 3·1운동 이후 일제의 정책전환으로 문화 활동을 어느 정도 허용하기는 했으나 여전히 민족의 독립과 자유가 상실된 상황, 둘째는 신경향파 문학에서 나아가 카프(1925~35)의 조직을 배경으로 한 프롤레타리아 계급주의 문학이다.

프로문학은 정치주의 문학으로서, 정치적 목적의식, 문학운동의 조직성, 선전용 기관지로 활동한 게 드러났다. 프로문학에 작품다운 작품은 없고, 계급의식을 고취하는 개념적 글이 대부분이었다. 정치단체인지, 문학단체인지, 그 성격조차 분간하기 어려웠다. 카프(KAPF 조선프롤레타리아예술가동맹)는 자체 내의 심각한 논전과 분열, 일제의 치안유지법 강화와 만주사변(1931) 등으로 해산되었다.

일제에 대한 반일운동을 전개했다는 점은 시인한다 해도, 마르크스주의에 입각한 절대적 계급성의 강조로 일어난 민족 주체성의 위험, 개인의 자아에 대한 부정의 위험성, 문학의 독자성과 자율성의 침해 등을 고려할 때, "얻은 것은 이데올로기요 잃은 것은 예술이다."고 한 박영희의 전향선언, 김기진의 전향은 무엇을 의미하는가.

1930년대의 모더니즘 문학

1934년을 전후하여 한반도에도 외국 문학의 방법론이 들어왔다. 주지주의와 심리주의가 그것이다. 자연 발생적인 과거의 시를 반대하고 이미지와 지성을 중시하는 모더니즘운동이 일어났다. 모더니즘의 대표 시인으로 정지용, 김기림, 김광균 등은 시 창작에 큰 성과를 거두었다.

이상의 초현실주의도 넓은 의미로는 모더니즘의 범주에 든다.

이상은 종래의 합리적 방법을 거부한 초현실주의 시를 남겼다.

인생파, 자연파, 청록파

1936년 이후부터 전쟁 위기가 험악해지기 시작했다. 중일전쟁 (1937) 이후의 일본 식민지정책은 파시즘으로 기울어져 민족주의 문학은 대응과 도전보다는 폐쇄적 경향으로 바뀌었다. 거기에 맞서 전통적이며 토속적 경향의 심화를 시도함으로써 높은 예술성을 살리려는 경향은 이 시대의 특징이었다.

시에 있어서 유치환의 의지적 낭만주의, 서정주의 주정적 낭만주의도 이 시대를 대표한다. 이 두 시인을 가리켜 생명파 내지 인생파라 한다.

일제 말기의 암흑기를 앞두고 발행된 『문장(1939)』과 『인문평론(1939)』이 발간되었다. 『문장』을 통하여 김종한, 박남수, 이한직, 김수돈, 김상옥, 그리고 청록파로 불리게 된 조지훈, 박목월, 박두진 등이 정지용 시인의 추천으로 등단했다.

한국어의 말살 정책(1941)으로 조선, 동아 신문과 함께 『문장』과 『인문평론』이 폐간되면서부터 우리 민족 문학은 암흑기에 접어들었다. 그런 와중에서도 시는 남아서 저항적, 예언적 기능을 간신히 수행했다. 이육사, 윤동주, 한용운, 김광섭 등은 암흑기에 민족 문학을 지킨 최후의 파수병들이었다. 이들은 파시즘의 감옥에서 민족 문학을 지킨 시인들이다.

광복과 민족 문학

광복 후 미군정에서 대한민국 정부수립(1948)을 거쳐 북한남침 (1950) 때까지 5년간은 민족 문학의 투쟁기였다. 독립투사의 피어린 항일 투쟁이 있었음에도 불구하고, 광복은 연합국의 승리에서 온 것이요, 남북분단은 국제 열강의 권력 관계에서 타율적으로 나누어졌다.

조국 광복과 분단이 타율적이었으며, 반민족 세력을 극복하지 못한 채 현실을 수용했다는 점에서 좌우익의 정치투쟁이 격화되었고, 그것이 그대로 문단에까지 파급되었다. 민족주의 문학은 광복과 함께 침투한 공산주의와 투쟁하게 되었다. 조직 면에서 공산주의자들이 선수를 쳤기 때문이다.

그 당시 혼란스러운 논전은 계급문학 대 민족문학, 물질 대 정신, 사회성 대 인간성, 공식주의(사회주의 리얼리즘) 대 다양성(비공식주의), 공산주의 대 민주주의가 된다. 이 혼란기에 확고한 위치를 일관한 문인은 김영랑, 염상섭, 채만식, 서정주, 유치환 등이었다. 이 외에도 조지훈, 박목월, 박두진, 모윤숙, 김동리, 황순원 등은 우수한 수작을 보인 동류다.

광복 직후 북한 공산 치하를 벗어난 문인 중에는 김동명, 안수길, 임옥인, 황순원, 구상 등이 돋보이고, 광복 직후에 등장한 문인으로는 김윤성, 김종문, 김춘수, 그리고 6·25 전후에는 이원섭, 이동주 등이 가작을 보였다.

사람은 내적인 마음과 외적인 몸이라는 이중구조로 되어있다. 마음에는 지정의(知·情·意)가 있어서 진미선(眞·美·善)을 추구한다. 시(詩)는 아름다움을 추구함으로 보이지 않는 마음(知·情·意)은 균형 있게 조화하여 보이는 진미선(眞·美·善)으로 표현함이 마땅하다.

이러한 예술미학이나 철학의 기본원리를 모르면 主知主義나 主情主義 등 부분을 전체로 오인하고 편식하기 쉬운데, 그러다가 길을 잃기도 한다. 운치를 무시하고 시각적 이미지만 중시하다가 길을 잃은 디카시나 하이퍼 시 추종자들도 그 한 실례라 하겠다.

앞으로는 내적인 지정의(知·情·意)를 고루 활용하여 외적인 진미선(眞·美·善)으로 표현, 시다운 시가 우후죽순처럼 탄생하기를 기대한다. 가령 주지주의에만 편식하면 글을 머리로 쓰게 되어 온기 없이 메마르기 쉬우므로 앞으로는 서정주 시인이나 조지훈 시인처럼 지정의(知·情·意) 시론을 중시하여 활용하기 바란다.

– 찾아보기 –

3번아 5번 찾지 말고 / 315
9월의 편지 / 145

ㄱ

가늘한 내음 / 167
가무歌舞 / 20
가배절嘉俳節 / 131
가을 / 372
가을의 기도 / 173
가정家庭 / 206, 208
감잎 엽서 / 204
강강술래 / 96
강냉이 사설辭說 / 367
검은 평화 / 183
겨울 진달래 / 378
겨울잠 / 388
경천사상敬天思想 / 20
고백성사 / 306
고사古寺 / 402
고장난 시계 / 196
고향故鄕 / 243
과수원과 꿈과 바다 이야기 / 264
관조의 시 / 99
광대 / 428
광야曠野 / 116
괴테 / 4

구 상 / 142, 177, 288
국화 옆에서 / 65
권운지 / 196
권천학 / 325
귀천歸天 / 321
귀촉도歸蜀途 / 398
그 먼 나라를 알으십니까 / 248
그날이 오면 / 129
그런 시를 쓸 수 있을까 / 376
그리움 / 169
기도 / 142
기형도 / 423, 424
길 / 78
김광균 / 80, 83, 405
김광섭 / 33, 74, 171
김규동 / 98, 137
김기림 / 76, 78
김남석 / 380
김남조 / 267
김년균 / 428
김동리 / 353
김동명 / 42, 246
김동수 / 362
김동환 / 24
김상용 / 44
김소월 / 40, 224, 276, 278, 280, 344
김여정 / 306
김영랑 / 46, 48, 167, 346, 348
김용호 / 35

김원명 / 220, 315
김인섭 / 313, 327, 426, 442
김종길 / 416
김종원 / 231, 364, 367
김준태 / 148
김창직 / 382
김춘수 / 256, 258
김현승 / 173, 175, 412
김후란 / 269, 309
깃발 / 61
깊은 해변 / 318
까치밥 / 157
꽃 / 258
끝없는 강물이 흐르네 / 346

노천명 / 251, 253, 254
논갈이 2 / 236
논개論介 / 110
눈 오는 밤에 / 35
눈물 / 175, 194, 412
눈의 나라 / 269
님의 침묵 / 106

단테 / 21
달을 먹은 소 / 323
대바람 소리 / 403
도미솔 / 201
돌 / 360
돌담에 소색이는 햇발 / 46
동심 / 91
동천冬天 / 63
두만강 / 98
두메산골 3 / 121
또 다른 고향 / 54

롱펠로 / 21
릴케 / 4

나 / 295
나그네 / 92
나의 시詩 / 225
낙화落花 / 400
난쟁이행성 134340에 대한 보고서 /
201
날개옷 / 190
남산 성벽 / 384
남으로 창을 내겠소 / 44
낯설게하기 / 266
내 고향은 저승 / 440
내 마음은 / 42
내가 만난 인민군 / 161
내가 쓰러지거든 / 444

마경덕 / 218

마른장마 물안개 / 390

마음 / 33, 74

만경강의 노랫소리 / 285

말씀의 실상實相 / 177

망향 / 251

모란이 피기까지는 / 48

모래톱에서 / 374

모반사건 / 395

목계장터 / 447

목재소에서 / 198

무관심의 죄 / 309

무지개 / 67

문덕수 / 260

문둥이 / 355

문정희 / 104, 436

문효치   271

물 끓는 소리 / 100

박인환 / 262

박재삼 / 413

밤바다에서 / 413

백석 / 50, 52

버들강아지 / 327, 442

벼 / 238

변영로 / 110

별 헤는 밤 / 56

보리피리 / 291

보조관념 / 34

복종服從 / 108

볼테르 / 3

봄 / 335

봄은 고양이로다 / 37

봄이 슬픈 나무들 / 426

봉개동 / 364

북에서 온 어머님 편지 / 137

분해와 결합 43613 / 313

빈집 / 424

빼앗긴 들에도 봄은 오는가 / 113

바다 2 / 72

바다와 나비 / 76

바람 그 뒷모습이 / 339

바위 / 59

박남수 / 135

박넝쿨 타령 / 344

박두진 / 94

박명자 / 273

박목월 / 90, 92, 208, 410

박미란 / 198

박영희 / 150

사는 법 2 / 301

사랑의 말 / 267

사리숨利 / 192

사색의 시 / 320

사슴 / 253

산 너머 남촌에는 / 24

산山 / 278

산방山房 / 29

산상山上에서 / 179

산수도山水圖 / 31

산유화山有花 / 280

산중문답山中問答 4 / 151

살아있는 날은 / 421

삶 / 293

상사성相似性 / 431

새우와의 만남 / 104

색채의식 / 97

샘도랑집 바우 / 356

샘물이 혼자서 / 22

생산적 상상 / 180

샤갈의 마을에 내리는 눈 / 256

서시序詩 / 123

서정남 / 430

서정주 / 63, 65, 127, 139, 355, 398

석탄 / 303

설야雪夜 / 80

성권영 / 370, 372

성북동 비둘기 / 171

성서 / 178

성종화 / 374, 376

성탄제聖誕祭 / 416

세월이 가면 / 262

손을 흔드는 것은 / 333

손해일 / 329, 432

송강松江 / 394

송태호 / 388, 390

수로부인水路夫人의 얼굴 / 409

수월관음도水月觀音圖 / 185

순수시純粹詩 / 244

순애殉愛 / 126

숲으로 가리 / 187

스티븐스 / 3

승무僧舞 / 85

시詩를 말하는 염소 / 102

시문학 / 20

시원詩苑 / 73

시인 연대표年代表 / 382

시인詩人 / 331

신경림 / 447

신동춘 / 100

신발論 / 218

신석정 / 31, 151, 154, 248, 403

신선도神仙道 / 21

신선사상 / 21

심훈 / 129, 131

ㅇ

아이러니 / 41

알란 포우 / 20

앙가지망 / 64

양잠설養蠶說 / 3

어느 날 문득 / 386

어느 지역地域 / 181

엄마 걱정 / 423

엄마야 누나야 / 224

엄한정 / 102, 335

여승女僧 / 50

여운餘韻 / 166

여인 / 216

영광굴비의 영광 / 432

오랑캐꽃 / 119

오매 단풍 들것네 / 348

오봉옥 / 159, 434

옥밥 / 159

완화삼玩花衫 / 88

외할머니의 뒤안 툇마루 / 227

우상의 시 / 394

워즈워스 / 20

원관념 / 34

원동우 / 211

유가儒家 / 23

유미주의 / 47

유사 / 34

유안진 / 190, 192

유추 / 34

유치환 / 59, 61, 169, 406, 408

윤동주 / 54, 56, 123, 125

윤오영 / 3

율조律調 / 41

은수저 / 405

은유 / 62

음풍영월吟風詠月 / 165

이 상 / 206

이동주 / 96

이름 없는 여인이 되어 / 254

이별가離別歌 / 410

이병훈 / 234, 236, 392

이사 / 211

이상화 / 113

이설주 / 440

이성부 / 238

이성선 / 323

이신강 / 161

이야기 / 154

이용악 / 119, 121

이원섭 / 179

이육사 / 27, 116

이장희 / 37

이정록 / 331

이창년 / 333

이해인 / 421

이향아 / 214

일기日記 / 337

임미옥 / 204, 438

ㅈ

자수刺繡 / 419

자쾌自快 / 23

자화상自畵像 / 125, 127

작업복 / 370

잔盞 / 438

장영창 / 181, 183, 243, 282, 285

장호강 / 444

저녁놀 / 408

저녁연기를 보면 / 231

저녁을 지으며 / 220

저미상태低迷狀態 / 244

전봉건 / 264, 418

정情 / 380

정공채 / 303

정귀영 / 378

정여립 / 395

정주성定州城 / 52

정중수 / 229

정지용 / 69, 72, 350

정진규 / 185

정철 / 396

정한情恨 / 41

제천의식祭天儀式 / 20

조각달 타령 / 353

조기호 / 216, 240

조병화 / 414

조선지광朝鮮之光 / 71

조지훈 / 29, 85, 88, 166, 400, 402

종이배 / 222

주요한 / 22

지리산 / 325

지리산 시詩 / 271

진달래꽃 / 40

초록의 번영 / 392

초토焦土의 시 / 288

초혼招魂 / 276

촛불 연가 1 / 297

촛불 연가 2 / 299

최문자 / 194, 318

최은하 / 187

추일서정秋日抒情 / 83

춘궁여담春窮餘談 / 150

춘설春雪 / 350

측상의 시 / 394

침상의 시 / 394

카프 / 453

콩나물을 다듬으면서 / 214

키 큰 남자를 보면 / 436

참깨를 털면서 / 148

참여 / 99

창조적 상상 / 105

천상병 / 321

첫눈 이미지 / 273

청노루 / 90

청보리밭에 오는 봄 / 329

청산도青山道 / 94

청포도 / 27

타고르 / 4

투르게네프 / 3

파스칼 / 67

파초芭蕉 / 246

풀리는 한강 가에서 / 139

풀베기 / 234

풀잎 / 260
풋마늘 / 240
풍경風磬 소리 / 362
피아노 / 418

하늘 / 229
하루만의 위안 / 414
하지감자 / 449
한승원 / 297, 299
한용운 / 106, 108
한하운 / 291, 293, 295
할머니 / 434
할머니 꽃씨를 받으신다 / 135
함형수 / 133

해바라기의 비명碑銘 / 133
행복幸福 / 406
향수 / 430
향수鄕愁 / 69
허세욱 / 337, 339, 341
허영자 / 419
형태의식 / 342
호남평야 / 282
호도 두 알 / 341
호연지기浩然之氣 / 342
홍윤숙 / 301
환유換喩 / 63
황금찬 / 145
황동기 / 384, 386
황송문 / 157, 356, 360
황희 / 396

영원한 한국의 명시

인쇄   2024년 07월 16일
발행   2024년 07월 22일

엮은이   황송문
펴낸이   황혜정
펴낸곳   문학사계
인쇄처   지원프린팅

우편번호   03115
주소   서울시 종로구 종로66번길 20 / 계명빌딩 502호
전화   010_2561_5773
이메일   songmoon12@hanmail.net

등록   제2005년 9월 20일 제318-2007-000001호
ISSN   978-89-93768-72-5-03810

공급처   마당(전화 : 02-762-2113 / 010-3668-4056)

※ 잘못된 책은 구입처에서 교환해 드립니다.